WALKING DEAD

Du même scénariste :
- *Invincible* (cinq tomes) - dessin de C. Walker & R. Ottley
- *Haunt* (un tome) - avec T. McFarlane, dessin de R. Ottley & Greg Capullo

Du même dessinateur :
- *Corps de pierre* - scénario de Joe Casey

Quelques titres à découvrir si vous aimez *Walking Dead* :

- *28 Jours plus tard* (trois tomes) - Nelson & Shalvey
- *30 Jours de nuit* (cinq tomes) - Niles, Templesmith et Sienkiewicz
- *Black Hole* - Charles Burns
- *Les Enquêtes de Sam & Twitch* (deux tomes) - Andreyko, Lee & Scott
- *Fell* (un tome) - Ellis & Templesmith
- *Le Fléau* (quatre tomes) - Aguirre-Sacasa & Perkins, d'après Stephen King
- *Girls* (quatre tomes) - Jonathan & Joshua Luna
- *Small Gods* - Rand & Ferreyra
- *Spawn* (neuf tomes) - Todd McFarlane
- *The Goon* (sept tomes) - Eric Powell
- *Tue-moi à en crever* - David Lapham
- *Tony Chu, Détective cannibale* (deux tomes) - Layman & Guillory
- *Wormwood* (trois tomes) - Ben Templesmith

Retrouvez la série *Walking Dead* sur sa page officielle Facebook
www.facebook.com/walkingdead.officiel

Walking Dead tome 2 : *Cette vie derrière nous* © & ™ 2007 Robert Kirkman. Tous droits réservés.
Version originale (*The Walking Dead* #7 à 12/ TPB vol.2 : *Miles behind us*) publiée aux USA par Image Comics.

© 2007 Guy Delcourt Productions pour la présente édition.

Dépôt légal : juin 2007. I.S.B.N : 978-2-7560-0972-8
Première édition

Illustration de couverture : Tony Moore (*The Walking Dead* #12)
Traduction : Edmond Tourriol/Makma
Lettrage : Moscow★Eye
Conception graphique : Trait pour Trait

Achevé d'imprimer et relié en France par CPI Aubin Imprimeur en février 2011.

www.editions-delcourt.fr

WALKING DEAD

2. CETTE VIE DERRIÈRE NOUS

SCÉNARIO
ROBERT KIRKMAN

DESSIN
CHARLIE ADLARD

TRAMES & NIVEAUX DE GRIS
CLIFF RATHBURN

DELCOURT

DANS L'ALBUM PRÉCÉDENT :

Aux États-Unis de nos jours. Rick est un ex-policier sorti du coma dans lequel il avait été plongé à la suite d'une arrestation mouvementée. Son monde bascule lorsqu'il découvre que les morts ne meurent plus, mais errent à la recherche des derniers humains pour s'en repaître. Parti à la recherche de sa femme Lori et de leur fils Carl qu'il croit réfugiés à Atlanta, il les retrouve parmi les membres d'un groupe de rescapés qui tentent de survivre dans un camp de fortune en bordure de la ville. Ils ont été conduits là par Shane, un ex-collègue de Rick. Tous essayent de retrouver un semblant de vie normale, malgré les attaques dévastatrices des morts-vivants… Mais c'est sans compter sur la réaction aussi soudaine qu'inattendue de Shane, secrètement amoureux de Lori, qui ne supporte pas le retour de Rick.
Alors qu'il s'apprête à abattre son rival au cours d'une partie de chasse, Shane est tué par Carl, le jeune fils de Rick…

LES PRINCIPAUX PERSONNAGES

RICK

STATUT : vivant

Rick était policier dans une petite ville avant que le fléau frappe le monde. Il est devenu le leader du groupe de survivants.

RELATIONS :
Lori (femme) et Carl (fils)

1re apparition :
Walking Dead 1

SHANE

STATUT : décédé
(à la fin du tome 1)

Shane était le co-équipier de Rick. Amoureux de Lori, il a tenté de tuer Rick mais a été abattu par Carl.

1re apparition :
Walking Dead 1

LORI

STATUT : vivante

Lori est la femme de Rick. Pendant qu'il était dans le coma, elle a fui en compagnie de Shane et a eu une aventure avec lui. Rick n'est pas au courant.

RELATIONS :
Rick (mari) et Carl (fils)

1re apparition :
Walking Dead 1

CARL

STATUT : vivant

Fils de Rick et Lori. Il a abattu Shane alors que ce dernier était sur le point de tuer son père. Cet acte pèse lourdement sur sa jeune conscience.

RELATIONS :
Rick (père) et Lori (mère)

1re apparition :
Walking Dead 1

MORGAN

STATUT : vivant

Morgan a élu domicile en compagnie de son fils Duane dans une maison voisine de celle de Rick, avant que celui-ci parte à la recherche de sa famille.

RELATIONS :
Duane (fils)

1re apparition :
Walking Dead 1

JIM

STATUT : décédé
(à la fin du tome 1)

Jim a assisté au massacre de tous les membres de sa famille alors qu'ils fuyaient Atlanta. Il a été le premier du groupe, avec Amy, à succomber aux effets d'une morsure de zombie.

1re apparition :
Walking Dead 1

GLENN

STATUT : vivant

Pilleur en titre du groupe, Glenn se charge de récupérer tout ce qu'il peut. Il a été le premier contact de Rick avec le groupe où sa famille avait trouvé refuge.

1re apparition :
Walking Dead 1

DALE

STATUT : vivant

Après avoir perdu sa femme, Dale a recueilli Amy et Andrea. Il est le propriétaire du camping car où le groupe se réfugie pour dormir. Après la mort d'Amy, Andrea et lui se sont beaucoup rapprochés.

1re apparition :
Walking Dead 1

AMY

STATUT : décédée
(à la fin du tome 1)

Amy était la jeune sœur d'Andrea. Elle a trouvé la mort lors d'attaque de zombie contre le camp, au cours de laquelle Jim a également été mordu.

RELATIONS :
Andrea (sœur)

1re apparition :
Walking Dead 1

ANDREA

STATUT : vivante

Tireuse d'élite du groupe. Après avoir assisté à la mort de sa jeune sœur Amy, elle a trouvé le réconfort dans les bras de Dale.

RELATIONS :
Amy (sœur)

1re apparition :
Walking Dead 1

ÉCOUTE... *TOUTE* LA VILLE EST ASSIÉGÉE. ON NE PEUT *MÊME PAS* Y ENTRER SANS SE FAIRE ATTAQUER. MES PARENTS SONT *MORTS*. TOUS CEUX QUI SONT VENUS TROUVER REFUGE EN VILLE SONT *MORTS*. C'EST CERTAIN.

PER- SONNE N'A PU SURVIVRE À *ÇA*.

ET RICK... IL EST DANS LE COMA. IL N'EST *MÊME PAS* AU COURANT DE TOUT ÇA... ET ON L'A *ABANDONNÉ* POUR VENIR ICI... POUR ÇA.

JE VOUDRAIS *BIEN* RETOURNER LE CHERCHER... MAIS IL EST EN *SÉCURITÉ* À L'HÔPITAL. C'EST L'ENDROIT LE PLUS *SÛR* POUR LUI. ET DANS SON *ÉTAT*, ON NE PEUT PAS L'AIDER.

ET PUIS... SI LE GOUVERNEMENT COMMENCE LE GRAND NETTOYAGE, MIEUX VAUT ÊTRE *PRÈS* D'UNE GRANDE VILLE.

OH, SHANE. JE NE TE REMERCIERAI *JAMAIS ASSEZ* DE NOUS AVOIR ACCOMPAGNÉS. CARL ET MOI, ON N'Y SERAIT JAMAIS ARRIVÉS SANS TOI. JE NE POURRAI JAMAIS M'ACQUIT- TER DE MA DETTE.

JE NE SAIS PAS COMMENT TU VIS ÇA, MAIS MOI... JE SUIS *À BOUT*. JE NE SAIS PAS COMMENT DIRE.

AVEC TOUT CE QUI SE PASSE... *RICK...* MES *PARENTS...* LE *MONDE...* NE LE PRENDS PAS MAL MAIS... JE ME SENS SI...

... SEULE.

LORI... EXCUSE-MOI... JE NE VOULAIS...

PARDON.

NON, SHANE... NE T'EXCUSE PAS. TOUT CE QU'ON A TRAVERSÉ... QU'ON TRAVERSE ENCORE... JE COMPRENDS.

SHANE, JE... J'AI *BESOIN* DE TOI.

J'AI BESOIN DE TOI.

OH, LORI...

J'ATTENDS ÇA DEPUIS SI LONGTEMPS.

PTOO!

FILS DE *PUTE*.

DURE JOUR-NÉE, HEIN ?

LORI... ÇA... ÇA LA TOUCHE PLUS QUE NOUS. J'IMAGINE QU'AVEC LE VOYAGE POUR VENIR ICI... IL S'EST OCCUPÉ D'ELLE ET DE CARL... ELLE LUI FAISAIT CONFIANCE.

MERDE, NOUS AUSSI.

J'AURAIS *JAMAIS* CRU QU'IL CRAQUERAI JUSTE... *COMME ÇA.*

C'ÉTAIT *MON AMI.* PROBABLEMENT MON *MEILLEUR* AMI. ON EST DANS UNE SACRÉE MERDE. SI ÇA PEUT MÉTAMORPHOSER COMME ÇA UN TYPE COMME SHANE, ÇA VEUT DIRE QU'ON Y EST PROFOND.

JE CROIS QUE...

JE FERAIS MIEUX DE L'ATTENDRE.

ON EN REPARLE PLUS TARD.

COMMENT VA-T-ELLE ?

MIEUX... MAIS ÇA VA PRENDRE UN *BOUT DE TEMPS* AVANT QUE CETTE PAUVRE FILLE REDEVIENNE COMME AVANT.

DALE, TU NOUS *VOIS* REDEVENIR COMME *AVANT* ?

APRÈS ÇA ? PLUS VRAIMENT... D'AILLEURS... ÉCOUTE, IL NE S'AGIT PAS DE TE DIRE QUE JE T'AVAIS PRÉVENU... MAIS JE LE SENTAIS VENIR. SHANE AVAIT CHANGÉ *DEPUIS* TON ARRIVÉE.

JE CROIS QU'IL ÉTAIT AMOUREUX DE TA *FEMME.*

JE *SAIS.* VU CE QU'IL RACONTAIT AVANT DE VOULOIR ME TUER... ÇA NE POUVAIT ÊTRE QUE ÇA.

OUAIS... MAIS CE QUE JE VEUX DIRE, C'EST QUE TOUT LE MONDE, DANS LE CAMP, COMMENÇAIT À SE MÉFIER DE SHANE. LES ATTAQUES, AMY... JIM... ON EST PRÊTS À *DÉMÉNAGER,* RICK. ON A LAISSÉ SHANE DÉCIDER PARCE QU'IL ÉTAIT *FLIC.* JE SUIS VIEUX. GLENN EST UN GOSSE. ALLEN... IL EST PAS DU GENRE MENEUR.

ON A BESOIN DE QUELQU'UN VERS QUI SE TOURNER... POUR SE *RASSURER.* LES FEMMES, SURTOUT. J'EN AI PARLÉ À TOUT LE MONDE. TU ES L'HOMME QU'IL NOUS FAUT.

D'ACCORD. VA DORMIR. ON LÈVE LE CAMP *DEMAIN.*

ON A ASSEZ TRAÎNÉ PAR ICI.

AH, UNE DERNIÈRE CHOSE. ANDREA A COMPTÉ LES JOURS DEPUIS QUE C'EST PARTI EN SUCETTE. ET SAUF ERREUR...

DEMAIN, C'EST NOËL.

N'EN PARLE À PERSONNE ! C'EST COMPRIS ? ILS NE DOIVENT *PAS* SAVOIR. JE N'AI PAS ENVIE D'EXPLIQUER À MON FILS QU'EN PLUS DE TOUTE CETTE MERDE, LE PÈRE NOËL N'A *PAS PU* LE TROUVER.

ON *OUBLIE* NOËL, CETTE ANNÉE, D'ACCORD ? INUTILE DE FAIRE PLEU-RER LES GOSSES.

D'ACCORD. COMPRIS.

PAPA ?

TU TE RÉVEILLES *TARD*, CARL. ON A PRESQUE FINI DE BOUCLER LES AFFAIRES POUR PARTIR. T'ES EN FORME ?

SI TU VEUX PARLER DE CE QUI S'EST PASSÉ... JE SUIS LÀ.

JE SAIS P'PA.

ALORS SI TU VEUX EN PARLER, TU ME DIS, HEIN ?

MH HM.

12

LE CHEMIN EST CAHOTEUX MAIS ÇA IRA SI JE ROULE PEINARD. ON VA BIENTÔT REJOINDRE LA ROUTE.

DIEU MERCI, LA NEIGE A FONDU.

'FAUT BIEN QU'IL ARRÊTE DE NOUS CHIER DESSUS, DE TEMPS EN TEMPS.

JULIE ET CHRIS, ILS... ILS FLIRTENT ? ILS *SORTENT ENSEMBLE* ? JE NE SAIS PAS COMMENT ON DIT, AUJOURD'HUI. PEU IMPORTE... CHRIS HABITAIT CHEZ NOUS QUAND TOUT EST PARTI EN COUILLE... PRO-BLÈMES DE FAMILLE. UNE *LONGUE* HISTOIRE.

IL Y A DEUX SEMAINES, ON EST SORTIS CHERCHER DE LA *NOURRITURE*

ON AVAIT UN JOLI PETIT CHEZ-NOUS MAIS ON A COMMENCÉ À *MANQUER* DE NOURRITURE. ET ÇA S'EST *RAFRAÎCHI*. SANS CHAUFFAGE, LA MAISON ÉTAIT AUSSI FROIDE DEDANS QUE DEHORS. ON N'AVAIT PAS DE CHE-MINÉE NI RIEN.

MERCI BEAUCOUP POUR TOUT ÇA. ON N'AVAIT PAS MANGÉ DEPUIS *DEUX JOURS*.

C'EST NORMAL. C'EST SYMPA DE VOIR UNE NOUVELLE TÊTE. *ÉCOUTE*, ON VA PAS TARDER À DORMIR, LÀ. ON DOIT BIEN POUVOIR TE FAIRE DE LA PLACE POUR TOI ET TES GOSSES SI ÇA TE DIT DE RESTER.

JUSTE POUR LA NUIT... OU PLUS. JE CROIS QU'ON S'EN SORT *MIEUX* EN GROUPE. SI TU VEUX TE JOINDRE À NOUS, BIENVENUE.

C'EST TRÈS GENTIL, RICK... MAIS ÇA REVIENDRA AU MÊME SI JE DORS DANS CETTE VOITURE, LÀ, AVEC LES ENFANTS.

ILS NE SONT PAS À L'AISE AVEC LES ÉTRAN-GERS...

COMPRIS. *À DEMAIN*, ALORS.

TU VIENS D'INVITER UN *ÉTRANGER* À DORMIR AVEC *NOUS* ?

IL A DES *GAMINS* AVEC LUI, LORI.

NOUS AUSSI. NE BAISSE PAS TA GARDE COMME ÇA, *RICK.*

17

DÉSOLÉ POUR HIER SOIR. UN COUP, JE TE DIS QU'ON N'A VU PERSONNE... ET LE COUP D'APRÈS, JE TE SORS L'HISTOIRE DES GOSSES QUI ONT PEUR DES ÉTRANGERS POUR PAS DORMIR DANS VOTRE CAMPING CAR.

EN FAIT... ON N'EST JAMAIS TROP PRUDENT. VOUS AURIEZ AUSSI BIEN PU ÊTRE DES CANNIBALES AMBULANTS.

QU'EST-CE QUI T'A FAIT CHANGER D'AVIS ?

C'EST PAS ENCORE FAIT.

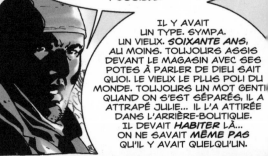

JE VOIS OÙ TU VEUX EN VENIR. CE TRUC, ÇA *CHANGE* LES GENS. MON MEILLEUR POTE EST DEVENU DINGUE ET A ESSAYÉ DE ME *TUER*, AVANT-HIER. JE N'AVAIS JAMAIS VU PERSONNE AGIR COMME ÇA. ET *LUI*, ENCORE MOINS. J'ÉTAIS TELLEMENT EFFARÉ DE LE VOIR CHANGER COMME ÇA QUE JE N'AI MÊME PAS RÉALISÉ LE *DANGER*.

JE CROIS QU'ON A DES GENS BIEN, AVEC NOUS... ET QU'ON S'ENTEND PLUTÔT PAS MAL... MAIS À DIRE VRAI... JE NE SAIS PAS CE QU'ILS PENSENT.

ET ÇA ME FAIT ENCORE PLUS *PEUR* QU'UN *MORT-VIVANT* PUTRÉFIÉ QUI ESSAIE DE ME CROQUER.

DEUX SEMAINES APRÈS LE DÉBUT DE TOUT ÇA... LA *PREMIÈRE FOIS* QU'ON A MANQUÉ DE NOURRITURE, ON A FAIT UNE DESCENTE DANS UN MAGASIN À DEUX MILES DE CHEZ NOUS. TOUT ÉTAIT SENS DESSUS DESSOUS, IL AVAIT DÛ ÊTRE PILLÉ TROIS FOIS... IL RESTAIT QUELQUES BOÎTES PAR TERRE. ÇA *AVAIT L'AIR* SÛR, ALORS JULIE, CHRIS ET MOI, ON S'EST SÉPARÉS... POUR TROUVER LE PLUS DE NOURRITURE POSSIBLE.

IL Y AVAIT UN TYPE. SYMPA. UN VIEUX. *SOIXANTE ANS*, AU MOINS. TOUJOURS ASSIS DEVANT LE MAGASIN AVEC SES POTES À PARLER DE DIEU SAIT QUOI. LE VIEUX LE PLUS POLI DU MONDE. TOUJOURS UN MOT GENTIL QUAND ON S'EST SÉPARÉS, IL A ATTRAPÉ JULIE... IL L'A ATTIRÉE DANS L'ARRIÈRE-BOUTIQUE. IL DEVAIT *HABITER* LÀ... ON NE SAVAIT *MÊME PAS* QU'IL Y AVAIT QUELQU'UN.

CE GENTIL PETIT VIEUX... LA PREMIÈRE CHOSE QU'IL FAIT QUAND IL RENCONTRE ENFIN QUELQU'UN D'AUTRE... C'EST D'ESSAYER DE *VIOLER* JULIE. SI J'ÉTAIS ARRIVÉ *DEUX MINUTES* PLUS TARD, IL AURAIT RÉUSSI.

JE L'AI *TUÉ*, RICK. J'EN AVAIS *ENVIE* MAIS JE NE L'AURAIS PAS *VRAIMENT* FAIT. JE LUI AI *TAPÉ DESSUS*... ET IL EST *MORT*.

LA VACHE... TE FAIS PAS DE BILE POUR ÇA, MEC. TU AS FAIT CE QU'AURAIT FAIT N'IMPORTE QUEL PÈRE DE FAMILLE À TA PLACE.

JE SUIS FLIC... MAIS JE NE LAISSE PAS LA LOI M'AVEUGLER SUR CE QUI EST JUSTE ET CE QUI NE L'EST PAS. SURTOUT DANS LA SITUATION ACTUELLE.

JE NE ME FAIS PAS DE BILE PARCE QUE JE L'AI FAIT. JE M'EN FAIS PARCE QUE JE N'AI AUCUN REGRET.

MERDE.

DES RÔDEURS.

DES RÔ-DEURS ?

OUAIS... LA FIN DU MONDE L'AVAIT CHANGÉ... MAIS ELLE M'A CHANGÉ, MOI AUSSI.

AH... OUAIS, EUH... QUAND ON CAMPAIT PRÈS D'ATLANTA, ON EST ALLÉS EN VILLE... LA PLUPART DES ZOMBIES ÉTAIENT ASSIS À RIEN FOUTRE. ILS NE FAISAIENT RIEN SI ON NE LES PROVOQUAIT PAS. ON AURAIT DIT QUE LA PLUPART SE CONTENTAIT DE GLANDER EN ATTENDANT QU'IL SE PASSE QUELQUE CHOSE.

ET PUIS NOTRE CAMP A ÉTÉ ATTAQUÉ... UNE MEUTE DE CES CHOSES S'EST JETÉE SUR NOUS. ILS ONT TUÉ DEUX DE NOS AMIS. ALORS, JE PENSE QU'IL Y A UNE AUTRE CATÉGORIE DE ZOMBIES. ILS RÔDENT ET SE DÉPLACENT SANS CESSE.

ALORS, JE LES APPELLE LES RÔDEURS.

ILS VIENNENT PAR ICI... ON DOIT FAIRE QUELQUE CHOSE.

ON A UNE HACHE DANS LE VAN, SI TU VEUX L'ATTRAPER. LES FLINGUES, ÇA POURRAIT EN ATTIRER D'AUTRES.

CE MARTEAU A FAIT SES PREUVES, EN CE QUI ME CONCERNE.

22

BON SANG, JE SUIS *BIEN CONTENT* DE T'AVOIR RENCONTRÉ. MÊME EN UTILISANT LE CAMPING CAR POUR POUSSER, ON N'AURAIT JAMAIS PU DÉGAGER LA VOIE SANS TON AIDE.

DISONS QUE JE BOUGE *MON CUL*, C'EST TOUT. JE SUIS BIEN CONTENT QUE VOUS NOUS LAISSIEZ VOUS ACCOMPAGNER.

EH BIEN, JUSQU'ICI, TU NOUS AS ÉTÉ BIEN UTILE. À PART *RICK*, AUCUN D'ENTRE NOUS N'EST *VRAIMENT* TRÈS COSTAUD.

EN TOUT CAS, C'ÉTAIT *VACHEMENT* PLUS DUR DE DÉGAGER LES VOITURES AVANT QUE TU NOUS REJOIGNES.

ET T'ES *PAS DÉGUEU* À REGARDER, EN PLUS.

TOI NON PLUS, *CAROL.*

23

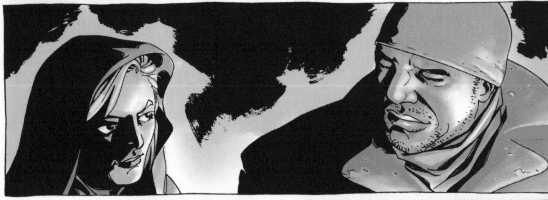

ENCEINTE ?

DEPUIS LONG-TEMPS ?

JE NE SAIS PAS... UNE SEMAINE... *DEUX.* JE NE SUIS PLUS RÉGLÉE NORMALEMENT AVEC TOUT ÇA. *LE STRESS,* JE SUPPOSE.

TU ES *SÛRE* ?

OUI, JE SUIS SÛRE. JE SAIS *EXACTEMENT* CE QUE ÇA FAIT. C'EST CLAIR...

JE SUIS ENCEINTE.

QU'EST-CE QU'ON VA FAIRE ?

JE NE SAIS PAS.

JE *TE* LE DEMANDE.

TOUT VA BIEN ?

JE SUIS ENCEINTE.

JE VOULAIS L'ANNONCER À *RICK* D'ABORD.

ON VA AVOIR UN BÉBÉ.

MM... *OUAH*... JE... JE NE SAIS PAS QUOI *DIRE*.

"FÉLICITATIONS", ÇA SERAIT *PAS MAL.*

PARDON, RICK... JE SUIS *INQUIET*, C'EST TOUT. ON N'A *NI* DOCTEUR, *NI* HÔPITAL. QU'EST-CE QUE VOUS ALLEZ *FAIRE* ?

ON VERRA QUAND ON Y SERA.

ON VA S'EN *SORTIR*, ALLEN. C'EST UNE *BONNE* NOUVELLE.

MERDE. IL COMMENCE À *NEIGER*. ON A FAIT BOUILLIR ASSEZ D'EAU POUR REMPLIR NOS BOUTEILLES ?

QUASIMENT. C'EST UNE BONNE CHOSE QU'ON AIT TROUVÉ CE RUISSEAU.

RICK, À PROPOS DE NOTRE CONVERSATION DE L'AUTRE JOUR... SHANE ET LORI... TU NE CROIS PAS QUE...

ÉCOUTE, *DALE*... LAISSE TOMBER, D'ACCORD ?

C'EST QUE... ÇA FAIT JUSTE *UN MOIS* QUE TU ES AVEC NOUS. RAPPORT AU TEMPS PASSÉ, ÇA POURRAIT...

TA *GUEULE*, DALE. FERME TA *PUTAIN* DE GUEULE !

JE VOIS *EXACTEMENT* OÙ TU VEUX EN VENIR. TU CROIS QUE JE N'Y AI PAS *PENSÉ* ? JE NE PENSE QU'À ÇA. ON N'A FAIT L'AMOUR *QU'UNE SEULE FOIS* DEPUIS MON RETOUR... J'ARRÊTE PAS D'Y PENSER. MAIS JE FAIS *CONFIANCE* À MA FEMME. C'EST TOUT CE QUE JE PEUX FAIRE.

J'ESSAIE DE NE *PAS* Y PENSER. SI JE PSYCHOTE LÀ-DESSUS, JE VAIS DEVENIR *DINGUE*.

JE SUIS MORT D'INQUIÉTUDE ET ALLEN EN RAJOUTE. LORI POURRAIT BIEN Y *RESTER*... ET MOI... CET AUTRE TRUC, ÇA POURRAIT BIEN ME TUER *AUSSI*.

PAS QUESTION D'Y PENSER MAINTENANT.

RICK, JE... PARDON DE T'AVOIR DIT ÇA.

T'INQUIÈTE PAS, FISTON. ÇA VA ALLER. TU N'AS PAS TENU *AUSSI LONGTEMPS* POUR LAISSER TOMBER *MAINTENANT*.

SURTOUT AVEC UN BÉBÉ EN ROUTE.

ALLEZ... C'EST L'HEURE DE DORMIR.

NE VOUS ÉLOIGNEZ PAS TROP DU *CAMPING CAR*. ON VA BIENTÔT REPARTIR.

OUAGH !!

MON DIEU !

MON DIEU !

MON DIEU !

MON DIEU !

DALE !

31

J-JE MARCHAIS. JE NE L'AI MÊME PAS *VU*. DÉSOLÉ DE VOUS AVOIR FAIT *PEUR*.

OH, MON DIEU, *DALE* ! TU N'AS RIEN ? IL T'A BLESSÉ ? *ÇA VA* ?

QU'EST-CE QUI... ?

OH PUTAIN !

IL EST MORT ?

ÇA VA, ANDREA. JE SUIS SEULEMENT TOMBÉ. ÇA VA ALLER.

JE CROIS QU'IL EST GELÉ.

ELIGG.

OUAAAA !!

OUAH. C'EST CE QUI T'EST ARRIVÉ, JE PARIE ?

OUAIS. MAIS C'EST PLUS RIGOLO À *REGARDER*. ET ÇA FAIT MOINS MAL.

KROK!

JE SUPPOSE QUE LEUR SANG NE CIRCULE PLUS... ALORS ILS *GÈLENT* PLUS VITE QUE NOUS.

C'EST BON À SAVOIR.

ON SERA EN *SÉCURITÉ* TANT QUE LA MÉTÉO VA SE MAINTENIR.

ON A ENCORE DES BOÎTES DE POIRES ?

LA DERNIÈRE FOIS QUE J'AI VÉRIFIÉ, JE N'EN AI *PAS VU*. IL NOUS RESTE ENCORE TROIS BOÎTES DE PÊCHES AU SIROP. À PART ÇA, ON N'A PLUS DE FRUITS.

ZUT... J'ADORAIS LES POIRES. ET JE *DÉTESTE* LES PÊCHES.

TU T'INQUIÈ-TES ?

POUR LE *BÉBÉ*, JE VEUX DIRE.

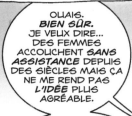

OUAIS. *BIEN SÛR.* JE VEUX DIRE... DES FEMMES ACCOUCHENT *SANS ASSISTANCE* DEPUIS DES SIÈCLES MAIS ÇA NE ME REND PAS *L'IDÉE* PLUS AGRÉABLE.

SANS PARLER DU FAIT DE NE PAS ÊTRE SUIVIE POUR ÊTRE SÛRE QUE *TOUT* SE PASSE BIEN. SI ÇA SE TROUVE, J'AI DES *JUMEAUX* ET JE N'EN *SAIS RIEN*.

ET LA *MORPHINE.* TU N'AURAS *PAS* DE MOR-PHINE.

MERDE. JE N'AVAIS PAS PENSÉ À ÇA.

HÉ, *MAMAN* ! T'AS DIT UN *GROS MOT.* TU ME DOIS UNE PIÈCE !

HI HI HI.

OK, *CARL.* METS-LE SUR MON *ARDOI-SE.*

LÀ-BAS ! *STOP* ! GARE-TOI LÀ.

J'AI VU.

ON EST À VINGT MILES DE LA VILLE, AU MOINS... ON DEVRAIT ÊTRE RELATIVEMENT TRANQUILLES, ICI.

MON *DIEU*. SI LA *NEIGE* NE NOUS AVAIT PAS RALENTIS À DIX MILES À L'HEURE, ON AURAIT *RATÉ* CET ENDROIT.

C'EST *PARFAIT*. ON POURRA COMMENCER UNE *NOUVELLE VIE*, ICI.

ÇA A L'AIR PROMETTEUR.

BON. ALLONS EXPLORER LES LIEUX MAIS NE NOUS DISPERSONS *PAS TROP*. ON VA COMMENCER PAR VÉRIFIER LES PREMIÈRES MAISONS, AUJOURD'HUI. ON NE SAIT PAS DANS QUELLE MESURE CET ENDROIT A ÉTÉ *ABANDONNÉ*. LA NUIT VA BIENTÔT *TOMBER*, ALORS SOYEZ PRUDENTS.

LES *ENFANTS*, VOUS RESTEZ AVEC CAROL, D'ACCORD ?

JE VAIS REMETTRE LES *PETITS* EN VOITURE EN ATTENDANT VOTRE FEU VERT.

BONNE IDÉE.

VOUS FERIEZ MIEUX DE SORTIR VOS *ARMES*, VOUS TOUS.

JUS-QU'ICI, ÇA VA.

OH... LE TERRAIN EST *IMMENSE*.

CET ENDROIT A L'AIR *DÉSERT*.

JE NE SAIS PAS QUAND ANDREA VA *ÉMERGER*. ELLE RESTE ASSISE À *SE MOR-FONDRE* TOUTE LA JOURNÉE. À CROIRE QU'ELLE A ÉTÉ *MORDUE*.

JE ME FAI DU SOU POUR ELLE.

CETTE MAISON EST VIDE.

ET DE VOTRE CÔTÉ, C'ÉTAIT *BON* ?

JE CROIS *BIEN*. JE N'AI RIEN VU *DU TOUT* DANS CE COIN-*LÀ*.

BIEN. JE NE SAIS PAS POUR VOUS, MAIS JE NE ME VOIS *PAS* PASSER ENCORE UNE NUIT SERRÉ COMME UNE SARDINE DANS LE CAMPING CAR. ÇA VOUS DIRAIT DE PREN-DRE NOS COUVERTURES ET DE SQUATTER DANS UNE DE CES MAISONS ?

LES FENÊTRES DE CELLE-LÀ ONT *L'AIR* BIEN, À L'ÉTAGE ON DEVRAIT ÊTRE AU CHAUD. DEMAIN, ON VÉRIFIERA TOUTES LES MAISONS ET CHACUN AURA SON CHEZ-SOI.

C'EST UN PLAN QUI ME CONVIENT.

ALORS D'ACCORD. ON RASSEMBLE TOUT LE MONDE ET ON S'INS-TALLE.

TYREESE ET MOI, ON VA VÉRIFIER LE RESTE DE LA MAISON. RESTEZ TOUS *ICI* EN ATTENDANT.

JE VAIS JETER UN ŒIL LÀ-HAUT.

TU CRIES SI TU VOIES UN TRUC.

ÇA DÉPEND QUOI... J'AURAI PEUT-ÊTRE PAS LE CHOIX.

ON DIRAIT QU'IL Y A UNE *CAVE* ! CES MAISONS SONT PLUS GRANDES QU'ELLES EN ONT L'AIR.

FWUMP

ON VA ÉCRASER CES MER-DES !

THUD!

JE TE COUVRE, MEC !

FAIS-TOI PLAI-SIR !

SHUNK!

WHAM! WHAM! WHAM! WHAM!

WHACK! WHACK! WHACK!

ON EST BONS ?

POUR L'INSTANT.

IL FAUT QU'ON NETTOIE CETTE CAVE. *GLENN*, PRENDS TA LAMPE TORCHE.

ÉCOUTE BIEN. ON *L'ENTENDRA* AVANT DE LE VOIR.

KAHHH.

TYREESE, ON EN A UN.

J'ARRIVE.

WHAM!

LE RESTE A L'AIR DÉGAGÉ.

LÀ-HAUT, C'EST BON ?

OUAIS, JE JETAIS UN DERNIER COUP D'ŒIL QUAND JE T'AI ENTENDU *CRIER*. À PART LA CAVE, LE RESTE ÉTAIT PROPRE.

TU M'AS *SAUVÉ LA VIE*, DANS LES ESCALIERS. OÙ T'AS APPRIS À *PLAQUER* COMME ÇA ?

EN JOUANT EN NFL*.

SANS DÉC ? T'AS JOUÉ AU FOOT *EN PRO* ?

OUAIS. *DEUX ANS.* APRÈS, J'AI ÉTÉ *VIDEUR* UN MOMENT. ET PUIS *D'AUTRES BOULOTS*, AUSSI. J'AI FINI PAR FAIRE *VENDEUR DE VOITURES.* C'EST CE QUE JE FAISAIS DEPUIS *CINQ ANS* QUAND CETTE MERDE A COMMENCÉ.

* NATIONAL FOOTBALL LEAGUE : LIGUE NATIONALE DE FOOTBALL AMÉRICAIN.

TU SAIS, ON DIT TOUJOURS QUE MÊME LE *PLUS MAL PAYÉ* D'UNE ÉQUIPE DE FOOT SE FAIT AU MOINS *200 000 DOLLARS* PAR AN. C'ÉTAIT MON CAS.

LA PAYE ÉTAIT *BONNE* MAIS JE CHERCHAIS *LA GLOIRE.* J'AI ESSAYÉ UN PEU TROP SOUVENT D'IMPRESSIONNER L'ENTRAÎNEUR ET J'AI FINI PAR ME *BLESSER.*

C'EST QUAND MÊME *IMPRESSIONNANT.* MIEUX QUE FLIC MUNICIPAL !

JE NE SAIS PAS... JE N'AI *JAMAIS* PORTÉ DE *FLINGUE.*

EH BIEN, JE NE ME SUIS JAMAIS VRAIMENT *SERVI* DU MIEN. PAS AVANT QUE LES MORTS ARRÊTENT DE *MOURIR*, EN TOUT CAS.

SÉRIEUX ? JE T'AVAIS COLLÉ L'ÉTIQUETTE DU FLIC DE CHOC, VU TON RÔLE DE CES DERNIERS JOURS.

TU *RIGOLES* ? JE SUIS PLUTÔT DU GENRE MANGEUR DE *DONUTS* !

EN TOUT CAS, TU AS SU *T'ADAPTER* À LA SITUATION.

ON FERAIT MIEUX DE LES *BRÛLER*, DEMAIN.

ON VA SÛREMENT EN TROUVER *D'AUTRES* EN FOUILLANT LES MAISONS, DEMAIN. ON LES BRÛLERA QUAND ON AURA UNE *BONNE PILE*. ON S'EST PRESQUE *HABITUÉS* À L'ODEUR, MAINTENANT... C'EST ÇA QUI ME REND MALADE... ON PEUT ATTENDRE UN JOUR DE PLUS ET ÉCONOMISER LES ALLU- METTES.

CETTE MAISON EST *PLEINE* DE CONSER- VES.

ILS ONT DES *POIRES* ?

POIRES, POMMES, ANANAS, PÊCHES... SI ON FAISAIT DU *RAISIN* EN CONSERVE, ILS EN AURAIENT *AUSSI*, JE PARIE !

AVEC UN STOCK PAREIL, C'EST À CROIRE QU'ILS *SAVAIENT* CE QUI ALLAIT SE PASSER.

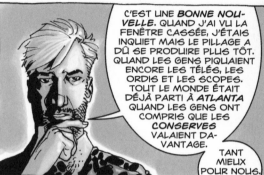

C'EST UNE *BONNE NOU- VELLE*. QUAND J'AI VU LA FENÊTRE CASSÉE, J'ÉTAIS INQUIET MAIS LE PILLAGE A DÛ SE PRODUIRE PLUS TÔT. QUAND LES GENS PIQUAIENT ENCORE LES TÉLÉS, LES ORDIS ET LES SCOPES. TOUT LE MONDE ÉTAIT DÉJÀ PARTI À *ATLANTA* QUAND LES GENS ONT COMPRIS QUE LES *CONSERVES* VALAIENT DA- VANTAGE.

TANT MIEUX POUR NOUS.

BON, IL SE FAIT *TARD* ET ÇA ME *DÉMANGE* DE FOUILLER LA ZONE DEMAIN MATIN. JE PROPOSE QU'ON SE COUCHE. ÇA SERA PLUS SÛR SI ON DORT TOUS *À L'ÉTAGE*. ON A LE SOMMEIL LÉGER. SI QUELQUE CHOSE GRIMPE L'ESCALIER, ON L'ENTENDRA *TOUS*. ET ÇA LE RALENTIRA MÉCHAMMENT, AUSSI.

ALORS, ON A *QUATRE* CHAMBRES ET UNE *SALLE DE BAIN*, LÀ-HAUT. JE SAIS QUE CERTAINS D'ENTRE VOUS SONT *PRESSÉS* DE SE RETROUVER EN FAMILLE MAIS POUR *CETTE NUIT* ENCORE, ON VA DEVOIR SE SERRER UN PEU. DES *VOLON- TAIRES* ?

JE VAIS PRENDRE LA *SALLE DE BAIN*. J'AI L'HABITUDE DES *BAIGNOIRES* DEPUIS LA FAC. ÇA NE ME *DÉRANGE PAS*.

SOPHIA ET MOI, ON PEUT PARTAGER UNE CHAMBRE AVEC TYREESE, JULIE ET CHRIS.

HEH.

VOILÀ, C'EST RÉGLÉ. ON MONTE LES COU- VERTURES ET ON SE *REPOSE*.

THAP!

IL *DORT*. LE PAU-VRE. IL N'ARRIVAIT PAS À DORMIR DANS LE *CAMPING CAR*.

OUAIS. LE CAMPING CAR ÉTAIT *PLUS CHAUD* AVEC TOUT LE MONDE *DEDANS* MAIS JE NE CROIS PAS QU'IL Y AIT EU LE MOINDRE ENDROIT ASSEZ *CONFORTABLE* POUR DORMIR DANS CE *BORDEL*. ET LE BRUIT... IL Y AVAIT TOUT LE TEMPS QUELQU'UN EN TRAIN DE SE RETOURNER, DE *TOUSSER* OU DE SE RÉVEILLER D'UN *CAUCHEMAR*.

ET *L'ODEUR*... TU *OUBLIES L'ODEUR*.

ÇA COMMENÇAIT À DEVENIR VRAIMENT *RUDE*, À LA FIN. *BON DIEU*, J'AI DU MAL À CROIRE QU'ON VA VRAI-MENT DORMIR DANS *UN LIT*. J'AVAIS *OUBLIÉ* CE QUE C'ÉTAIT.

QU'EST-CE QU'ON VA *FAIRE*, RICK ?

EH BIEN, J'IMAGINE QU'ON A ENVIRON *HUIT MOIS* POUR TE TROUVER UN DOCTEUR. UNE FOIS QU'ON AURA EMMÉNAGÉ ICI, JE REPRENDRAI LA *ROUTE*.

TU AS TOUJOURS *VOULU* UN AUTRE ENFANT AVANT QUE CARL NE SOIT *TROP VIEUX*. QUAND C'EST *L'HEURE*, C'EST *L'HEURE*. MAIS BON, C'EST UNE COMPLICATION QU'ON N'AVAIT *PAS* PRÉVUE.

ON VA S'EN SORTIR, CHÉRIE. NE T'EN *FAIS PAS*.

JE *SAIS*, RICK. JE ME FAIS DU SOUCI, MAIS MAINTENANT QU'ON A TROUVÉ CET ENDROIT... ÇA ME RASSURE *UN PETIT PEU*.

C'EST *JUSTE*...

JE FOUILLAIS DANS NOS *PLACARDS* ET J'AI TROUVÉ DES *COUVERTURES*. VOUS EN VOULEZ UNE DE *PLUS* ?

BIEN SÛR, DONNA. MERCI.

44

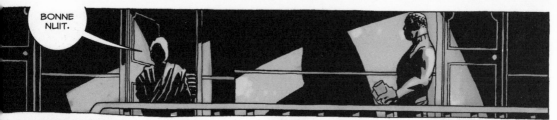

BONNE NUIT.

OH, *TYREESE*... HÉ. J'AI TROUVÉ DES *COUVERTURES* DANS NOTRE PLACARD. IL Y EN A ASSEZ POUR QUE CHACUN EN AIT UNE DE PLUS.

PRENDS-EN *TROIS*. DONNES-EN UNE À CAROL ET SOPHIA. ET TU PEUX PASSER DANS LA SALLE DE BAIN POUR *GLENN*, S'IL TE PLAÎT ?

BIEN SÛR, PAS DE PROBLÈME, DONNA. MERCI.

HÉ, TYREESE, JE NE CROIS PAS AVOIR EU L'OCCASION DE TE SOUHAITER LA BIENVENUE DANS LE GROUPE. JE SUIS *BIEN CONTENTE* QUE TU AIES DÉCIDÉ DE RESTER. TON AIDE A ÉTÉ PRÉCIEUSE. ET JULIE EST UNE FILLE *ADORABLE*.

C'EST GENTIL DE TA PART. ON A EU *BEAUCOUP* DE CHANCE DE TROUVER DES GENS AUSSI SYMPATHIQUES. SURTOUT AU MOMENT OÙ ÇA S'EST PASSÉ. ON N'AVAIT PLUS *RIEN* À MANGER. NULLE PART OÙ *DORMIR*... ON NE S'EN SERAIT JAMAIS SORTIS SI ON NE VOUS AVAIT PAS RENCONTRÉS, CETTE NUIT-LÀ.

J'APPRÉCIE *VRAIMENT* TOUT CE QUE VOUS NOUS AVEZ APPORTÉ. VOUS POURREZ *TOUJOURS* COMPTER SUR MOI POUR FAIRE MA PART DE TRAVAIL.

BONNE NUIT, DONNA.

BONNE NUIT, *TYREESE*. DORS BIEN.

DALE ?

ANDREA ?

J'AI TROUVÉ...

45

click.

ANDREA VA BIEN.

HEIN ? QUOI ?

JE SUIS ALLÉE LÀ-BAS LEUR DONNER UNE COUVERTURE ET JE LES AI VUS... *ENSEMBLE...* ALORS ON RÉCUPÈRE LEUR COUVERTURE SUPPLÉMENTAIRE.

JE N'AI PAS VOULU LES INTER-ROMPRE.

VRAIMENT ? TANT MIEUX POUR NOUS, ALORS.

JE ME SUIS DIT QU'ILS N'EN AURAIENT PAS BESOIN. ILS VONT SE TENIR *CHAUD.*

TU VOIS... JE NE LES APPROUVE *TOUJOURS PAS,* MAIS ANDREA EST UNE GRANDE FILLE ET ELLE PEUT PRENDRE SES *PROPRES* DÉCISIONS. ÇA FAIT DU BIEN DE VOIR DES GENS *HEUREUX* MALGRÉ TOUT CE QUI NOUS ARRIVE.

JE SUIS *CONTENTE* POUR EUX.

LA REINE DE GLACE FONDRAIT-ELLE ?

OH, *TAIS-TOI.*

À CE SUJET, ON DIRAIT BIEN QUE ÇA SE RÉCHAUFFE, DEHORS. LA NEIGE FOND SUR LA FENÊTRE.

LORI ?

LORI ?

-CHHT-

TU VAS LE RÉVEILLER.

OH, *PARDON.* ÇA FAIT LONGTEMPS QUE TU ES RÉVEILLÉE ?

QUELQUES *MINUTES...* UNE *DEMI-HEURE...* JE N'AI PAS VRAIMENT FAIT ATTENTION. PAS *LONG-TEMPS.*

RE-GARDE-LE. SI *PAISIBLE.* IL N'A PAS DORMI AUSSI BIEN DEPUIS QU'ON A QUITTÉ LE COMTÉ D'HARRISON.

JE *N'IMAGINE* PAS À QUEL POINT ÇA A DÛ ÊTRE *DUR* POUR LUI. SHANE... JIM ET AMY... TOUT ÇA. MERDE, LORI... JE NE SAIS MÊME PAS COMMENT J'Y ARRIVE.

C'EST À ÇA QUE JE PENSAIS. LE BÉBÉ NE SAURA JAMAIS COMMENT LE MONDE ÉTAIT AVANT... MERDE... BIENTÔT, CARL NE S'EN SOUVIENDRA *MÊME PLUS.*

IL NE SAURA JAMAIS CE QUE C'EST QUE DE PASSER SON *PERMIS DE CONDUIRE.* OU D'EMMENER UNE *FILLE* AU *CINÉ.*

RICK, TU CROIS QU'ON ARRIVERA À TOUT ARRANGER, *UN JOUR* ?

JE NE SAIS PAS.

J'ES-PÈRE.

JE... PARDON... DANS MON SOMMEIL... J'AI DÛ... EUH.

NON, TYREESE... C'EST BON. ÇA VA.

J'AIME BIEN.

À QUOI TU *PENSES* ?

JE NE SAVAIS PAS QUE TU ÉTAIS RÉVEILLÉ.

SURPRISE !

JE PENSAIS À ANDREA ET DALE... TOUS LES DEUX, ILS ONT PERDU QUELQU'UN QU'ILS *AIMAIENT*... QUELQU'UN DE TRÈS *PROCHE*. ÇA LEUR A FAIT MAL. ON L'A VU. MAIS ILS S'EN SONT SORTIS. À LES VOIR *ENSEMBLE*, CETTE NUIT... ILS SONT *HEUREUX*.

À LES VOIR... REPREN-DRE GOÛT À LA VIE ENSEMBLE... ÇA ME DONNE DE *L'ESPOIR*.

ET CET *ENDROIT*... C'EST UN *NOUVEAU DÉPART*. UNE NOUVELLE MAISON... RIEN QUE POUR NOUS. ET SI *LA MOITIÉ* DE CETTE PROPRIÉTÉ EST AUSSI BIEN QU'ICI, ON SERA TOUS TRÈS HEU-REUX. CET ENDROIT... EST *PARFAIT*.

JE CROIS QU'ON PEUT VIVRE *HEUREUX* ICI.

ET TOUS CEUX QUI NOUS ACCOMPAGNENT. CE SONT DES *GENS BIEN*. J'AI DU *MAL* À CROIRE QU'ON SOIT TOMBÉS SUR EUX COMME ÇA. ON N'AURAIT PAS PU RÊVER MEILLEURS VOISINS.

ON A VRAIMENT DE LA CHANCE.

TU AS RAISON. SI TOUT VA *BIEN*, C'EST *DANS LA POCHE*. ÇA FAIT LONGTEMPS QUE JE NE T'AVAIS PAS VUE AUSSI HEUREUSE, *DONNA*.

TU VEUX FAIRE *L'AMOUR* ?

C'EST QUOI UNE *MOURE* ?

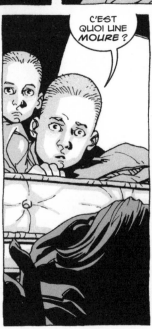

ÇA *RÉPOND* À TA QUES-TION ?

BONJOUR, TOUT LE MONDE. AUJOURD'HUI, C'EST LA *FÊTE*. ON VA SE DIVISER EN *GROUPES* ET EXPLORER *TOUTES* CES MAISONS... OU *AUTANT* QU'ON POURRA.

ON CHERCHE LES *CONSERVES*, LES *RÉSERVES*, LES MÉDICAMENTS... ET SURTOUT, ON S'ASSURE DE LA *SÉCURITÉ* DES LIEUX EN ÉVITANT DE SE RETROUVER AVEC DES *INVITÉS* SURPRISES COMME CEUX QU'ON A TROUVÉS *ICI*.

SORTEZ VOS *ARMES* ET SOYEZ PRÊTS À *FAIRE FEU*. ÇA VA ÊTRE DANGEREUX. GARDEZ LES YEUX OUVERTS ET RESTEZ SUR VOS *GARDES*.

GARDEZ EN MÉMOIRE QUE NOUS ALLONS *TOUS* NOUS RÉPARTIR DANS CES MAISONS QUAND ELLES AURONT ÉTÉ SÉCURISÉES. ALORS REGARDEZ SI VOUS EN VOYEZ UNE QUI VOUS PLAÎT... PENSEZ-Y. JE CROIS QU'IL Y EN AURA *PLUS* QU'IL N'EN FAUT.

PAPA, EST-CE QU'ON PEUT RESTER ICI AVEC CHRIS ? ON A PEUR, ON N'A PAS ENVIE DE FOUILLER CES MAISONS.

S'IL TE PLAÎT ?

ÇA IRA. ILS PEUVENT RESTER ICI AVEC ANDREA ET LES GOSSES. CE N'EST PAS TRÈS GRAVE. ILS NE SAVENT PAS ENCORE SE SERVIR D'UNE ARME, DE TOUTE FAÇON.

DONNA, ALLEN, TYREESE ET CAROL, VOUS FORMEZ UNE ÉQUIPE. MOI, LORI, GLENN ET DALE, ON EST ENSEMBLE. ÇA VOUS VA ?

BIEN. JE VAIS CHERCHER UN *FLINGUE* POUR TYREESE DANS LE CAMPING CAR.

MON ÉQUIPE, ON TRAVERSE LA RUE. *TYREESE*, TU PRENDS LA MAISON D'À CÔTÉ. JE TE RAMÈNE UNE ARME.

MATEZ LES JARDINS VITE FAIT. UN BALAYAGE RAPIDE AVANT D'ATTAQUER LES MAISONS.

ÇA VA ÊTRE *GÉNIAL*. COMME LES ÉMISSIONS DE DÉCO MAIS EN *MIEUX*.

OUAIS. SI LES MAISONS SONT *VIDES*.

CAROL ET MOI, ON VA VOIR LE JARDIN *DERRIÈRE*. ON EN A POUR UNE SECONDE.

D'ACCORD. ON FAIT LE TOUR DU GARAGE.

EN FAIT, JE VAIS JETER UN ŒIL DEDANS.

FAIS ATTENTION, CHÉRIE. NE RENTRE PAS TROP LOIN. REGARDE PAR LES FENÊTRES EN ATTENDANT QUE TYREESE AIT SON ARME ET QU'ON RENTRE *TOUS* ENSEMBLE.

TU T'EN FAIS TROP.

NE TIREZ PAS !! NE TIREZ PAS !!

SURTOUT, QUE PERSONNE NE TIRE !

LAISSEZ-LA !!

ALLEN, NON ! TU NE PEUX PLUS RIEN FAIRE POUR ELLE ! TU VAS JUSTE RÉUSSIR À TE FAIRE TUER !

=NGH=

BLAM!

NOON !

IL FAUT PARTIR D'ICI *TOUT DE SUITE* !

QUOI ? QU'EST-CE QUE TU VEUX DIRE ? QU'EST-CE QU'IL Y A ?

IL FAUT QU'ON MONTE *EN VOITURE* ET QU'ON DÉGA-GE *TOUT DE SUITE.*

OH PUTAIN !

ALLEZ ! METTEZ TOUT LE MONDE DANS LE CAMPING CAR. JE M'OCCUPE D'ALLEN.

ALLEN, IL FAUT Y ALLER.

NON. PAS SANS *ELLE.* LAISSE-MOI ICI, RICK.

LAISSE-MOI ICI.

NOM DE DIEU, NON ! PENSE À TES *GOSSES,* ALLEN ! ILS ONT BESOIN DE LEUR *PÈRE* ! ILS ONT BESOIN DE *TOI*, MAIN-TENANT, *PLUS QUE JAMAIS* !

JE NE TE LAISSERA*PAS* ICI.

SI ON N'Y VA PAS MAINTE-NANT, ON EST MORTS.

VIENS !

DALE ! DÉMARRE LA CAISSE ! 'FAUT QU'ON SE TIRE D'ICI EN VITESSE !!

AIDEZ-NOUS À RÉCUPÉRER LES GAMINS !

SUIVEZ-MOI !

MON DIEU !

C'ÉTAIT UN COUP DE FEU ?

PRENDS LES ENFANTS ! ON S'EN VA !

OÙ SONT JULIE ET CHRIS ?!

OH, MERDE ! ILS SONT À L'ÉTAGE.

J'Y VAIS ! FONCEZ AU CAMPING CAR !

OÙ EST DONNA ?

ELLE EST MORTE. OÙ EST TYREESE ?

MON DIEU. JE... IL... IL EST RETOURNÉ CHERCHER JULIE ET CHRIS.

MERDE ! SI LES ZOMBIES S'APPROCHENT DU VÉHICULE, ROULEZ ! ON SE DÉMERDERA, NE VOUS EN FAITES PAS POUR NOUS.

RICK !

PUTAIN.

PUTAIN.

PUTAIN.

BLAM!

BLAM!

'CHIER !

MAIS *PUTAIN*, QU'EST-CE QUE VOUS *FOUTEZ* ?!

JE SUIS *DÉSOLÉE*, PAPA ! ON VOULAIT JUSTE...

ON N'A PAS LE *TEMPS* POUR ÇA. RHABILLEZ-VOUS, *MERDE* !

TU LES AS ? *BIEN*. ON POURRA *PAS* RESSORTIR PAR LÀ. T'AS UN PLAN ?

SLAM!

LA FENÊTRE !

ELLE EST OÙ, MAMAN ?

ELLE... VOTRE MÈRE EST... JE...

ELLE EST *MORTE* ! VOTRE MÈRE EST *MORTE* !

63

64

FAITES GAFFE, LES MECS... SOYEZ PRÊTS AU PIRE.

'CHIER.

TOUT CE QUI N'A PAS ÉTÉ PRIS A ÉTÉ DÉTRUIT. POURQUOI ILS ONT FAIT ÇA ?

VA SAVOIR... FAIT CHIER. C'EST PAS BON.

COMMENT ON VA S'EN SORTIR SI ON PEUT MÊME PLUS BOUFFER ?

JE SENS QU'ON VA DEVOIR CHASSER. SOUVENT.

ON NE DEVRAIT PAS EN AVOIR POUR *LONGTEMPS*. MÊME SI ON RENTRE BREDOUILLES, ON SERA LÀ AVANT LA NUIT.

SI VOUS VOYEZ QUOI QUE CE SOIT, *OUVREZ LE FEU*. ON REVIENDRA AUSSI *VITE* QUE POSSIBLE.

ÇA VA *ALLER*. DU MOMENT QUE VOUS NOUS RAMENEZ À *MANGER*.

JE VAIS VOIR CE QUE JE PEUX FAIRE.

JE PEUX *VENIR* AUSSI ? JE PEUX VOUS AIDER. JE VISE *BIEN*.

D'AC, P'PA.

TRÈS BIEN. ON Y VA. GARDE UN ŒIL SUR *ALLEN* PENDANT NOTRE ABSENCE, D'AC, CHÉRIE ?

JE SAIS. TU PEUX VENIR MAIS NE TIRE PAS AVANT QUE JE TE LE DISE. C'EST IMPORTANT DE NE PAS EFFRAYER LE GIBIER SI ON EN TROUVE.

QUI *SAIT* CE QU'IL A DANS LA TÊTE EN CE MOMENT ?

J'AI PEUR QU'IL SE FASSE DU MAL... OU *PIRE*.

TU CROIS *VRAI-MENT* QU'ALLEN POURRAIT SE FAIRE DU *MAL* ?

IL VOULAIT QUE JE L'*ABAN-DONNE* AU MILIEU DES ZOMBIES, LA SEMAINE DERNIÈRE. JE NE SAIS PAS CE QU'IL TRAVERSE... JE NE SAIS *PAS* DE QUOI IL EST *CAPABLE.*

JE NE CROIS PAS QU'IL S'EN PRENDRAIT À QUELQU'UN D'*AUTRE.* ALLEN EST UN *BON* PÈRE. UN MEC BIEN. JE NE CROIS PAS QU'IL IRAIT *AUSSI LOIN.*

MAIS JE DOIS DIRE... APRÈS CE QUI S'EST PASSÉ AVEC *SHANE*... JE NE SUIS PLUS SÛR DE *RIEN.*

OUAIS. CAROL M'A PARLÉ DE *TOUT ÇA,* L'AUTRE JOUR.

CHHT !

VOUS AVEZ ENTENDU ÇA ?

JE CROIS QU'IL Y A QUELQUE CHOSE PAR LÀ, DEVANT NOUS.

IL *RESPIRE* ?! IL EST EN VIE ?!

QU'EST-CE QU'ON DOIT *FAIRE* ? QU'EST-CE QU'ON DOIT FAIRE, *PUTAIN* ? IL FAUT... PUTAIN, QU'EST-CE QU'ON DOIT *FAIRE* ?

IL RESPIRE MAIS IL EST INCONSCIENT... IL A PERDU BEAUCOUP DE SANG. IL *FAUT* QU'ON FASSE QUELQUE CHOSE POUR ARRÊTER L'HÉMO-RRAGIE.

ON DOIT *BIEN* POU-VOIR FAIRE QUELQUE CHOSE !

OUAIS, IL FAUT ARRÊTER *L'HÉMORRAGIE.* IL Y A UNE TROUSSE DE *SECOURS* DANS LE CAMPING CAR. IL FAUT LE *RAMENER* LÀ-BAS.

JE... DANS LA *FERME* OÙ J'HABITE... LE PROPRIO... SON FILS S'EST FAIT TIRER *DANS LE PIED.*

IL LUI A RETIRÉ *LA BALLE* ET IL L'A BIEN *SOIGNÉ.* IL S'OCCUPE DES ANIMAUX À LA FERME.

TU CROIS QU'IL POURRA AIDER MON FILS ?

IL EST PAS *DOCTEUR* MAIS JE CROIS QU'IL SAURA QUOI FAIRE.

C'EST À MOINS *D'UN MILE* D'ICI... ON Y SERA VITE.

72

MOINS D'UN MILE ? JE... JE PEUX Y ARRIVER. TYREESE... TU VAS M'AIDER À L'ENROULER DANS MON MANTEAU.

ALLEZ. DOU-CEMENT.

JE VAIS À LA FERME. TU VAS AU CAMPING CAR ET TU LEUR DIS CE QUI S'EST PASSÉ. SI C'EST À MOINS D'UN MILE D'ICI, VOUS DEVRIEZ TROUVER FACI-LEMENT.

C'EST FACILE À TROUVER ?

VOUS POURREZ LA VOIR DE LA ROUTE... SI VOUS ÊTES GARÉS DE L'AUTRE CÔTÉ, LÀ-BAS, VOUS DEVEZ ÊTRE SUR LA 64. SUIVEZ LA ROUTE ET CE SERA SUR LA GAUCHE. C'EST UN PEU PLUS LOIN PAR LA ROUTE MAIS VOUS TROUVEREZ FACI-LEMENT.

VENEZ, ON Y VA.

PASSE DEVANT, JE TE SUIS.

TYREESE, DIS À LORI QU'IL N'Y A RIEN À CRAINDRE.

D'AC-CORD.

TYREESE !

ON A ENTENDU LE *COUP DE FEU.* VOUS AVEZ ATTRAPÉ QUEL- QUE CHOSE ? TOUT VA... ? OÙ SONT- ILS ?

QU'EST-CE QUI S'EST PASSÉ ? OÙ SONT-ILS ?

UN TYPE NOUS A PRIS POUR DES *ZOMBIES...* IL NOUS A TIRÉ DESSUS ! CARL A ÉTÉ TOUCHÉ MAIS *IL VA BIEN.* RICK ET LE GARS L'EMMÈNENT *DANS UNE FERME* POUR QU'UN AUTRE MEC LES AIDE. IL VA BIEN... C'EST JUSTE QUE... ILS VONT...

OÙ ?! ILS *VONT* OÙ ?!

OÙ ?!

PLUS LOIN, *SUR LA ROUTE* ! JE CONNAIS LE CHEMIN !

ON Y VA !

OÙ EST TON PÈRE ?

À LA MAISON. QU'EST-CE QUI SE PASSE, OTIS ?

QUI C'EST, ÇA ?

C'EST PAS LE MOMENT, LÀ.

QU'EST-CE QU'IL Y A ? QUI EST-CE ? QU'EST-CE QUI SE PASSE ?

LE GAMIN A PRIS UNE BALLE. IL FAUT QUE TU L'EXAMINES.

EMMENEZ-LE DEDANS ! OÙ EST-IL TOUCHÉ ? C'EST GRAVE ?

AIDE-MOI À LUI ENLEVER *SA CHEMISE*, OTIS. JE DOIS LUI *RETIRER* CETTE BALLE.

PASSE ÇA DANS LE *FEU* POUR LE STÉRILISER. ET DONNE-MOI CETTE BOUTEILLE *D'ALCOOL*.

BIEN... JE CROIS QUE JE L'AI... TIENS-LE *BIEN*.

RICK !

OÙ EST-IL ? OÙ EST CARL ? IL VA BIEN ?!

CE TYPE S'EN OCCUPE. IL A *L'AIR* DE SAVOIR CE QU'IL *FAIT.*

JE CROIS QU'IL A ARRÊTÉ L'HÉMORRAGIE, AU MOINS.

OH, RICK... *QU'EST-CE* QU'ON VA FAIRE ?

JE NE SAIS PAS, LORI. JE NE *SAIS* PAS.

JE L'AI *SOIGNÉ.* J'AI RETIRÉ LA BALLE ET J'AI *ARRÊTÉ* L'HÉMORRAGIE. IL A EU *BEAUCOUP* DE CHANCE. LA BALLE S'EST LOGÉE DANS SA CLAVICULE... ELLE AVAIT *PILE* LE *BON* ANGLE.

UNE BALLE PLUS *MAUVAISE* AURAIT PU LUI *PERFORER* LE POUMON... SI C'ÉTAIT ARRIVÉ, JE N'AURAIS PAS PU FAIRE GRAND-CHOSE POUR LUI.

IL EST *ENCORE* INCONSCIENT... MAIS JE CROIS QU'IL VA S'EN TIRER. TOUT CE QU'ON PEUT FAIRE, C'EST *ATTENDRE.*

MERCI, MONSIEUR, VRAIMENT, JE...

JE M'APPELLE *HERSHEL GREENE.* NE ME REMERCIEZ *PAS* TOUT DE SUITE. VOTRE TEMPS SERA MIEUX EMPLOYÉ À *PRIER* POUR LE GARÇON.

ÇA FAIT *DES MOIS* QU'AUCUNE DE MES PRIÈRE N'A ÉTÉ EXAUCÉE... ALORS J'IMAGINE QUE *LÀ,* À FORCE, ÇA *DEVRAIT* ÊTRE *BON.*

MOI, C'EST *HERSHEL*. CECI EST MA FERME. EN ATTENDANT QUE LE PETIT AILLE MIEUX, VOUS ÊTES LES *BIENVENUS ICI*. NOUS AVONS *PLEIN* DE NOURRITURE RÉCOLTÉE... PARCE QUE, EH BIEN... LES *MARCHÉS* SONT FERMÉS... ET *PLEIN* DE PLACE. POUR L'HEURE, VOUS ÊTES *TOUS* LES BIENVENUS.

À PRÉSENT, JE VAIS VOUS PRÉSENTER LES PERSONNES QUI VIVENT ICI.

VOICI, *LACEY*, MA *FILLE* AÎNÉE.

LE *BAGARREUR*, LÀ, C'EST MON FILS, *ARNOLD*.

MA FILLE *MAGGIE*, SUR LE FAUTEUIL.

MON *PLUS JEUNE* FILS, *BILLY*.

RACHEL ET *SUSIE*, LES DERNIÈRES DE LA TRIBU. C'EST *SUSIE* QUI A LES COUETTES.

VOICI *OTIS* ET SA PETITE AMIE *PATRICIA*. ILS HABITENT PLUS LOIN SUR LA ROUTE. CHEZ NOUS, C'EST *PLUS SÛR*, ALORS ILS VIVENT ICI EN ATTENDANT QUE TOUT ÇA SE TERMINE.

C'EST TOUT, EN CE QUI NOUS CONCERNE, À PART *QUELQUES BESTIOLES* QUI PASSENT DEHORS.

LACEY, VEUX-TU LES ACCOMPAGNER DEHORS ET LEUR FAIRE VISITER LA FERME... QU'ILS PRENNENT CONNAISSANCE DES LIEUX ? JE VEUX *EXAMINER* LE PETIT, M'ASSURER QUE *TOUT* VA BIEN.

OUAIS, *BIEN SÛR.*

ÇA, C'EST LA *COUR*... SI VOUS ME SUIVEZ DE L'AUTRE CÔTÉ, JE VAIS VOUS MONTRER *NOTRE ARRIÈRE-COUR.*

JE... EUH... BILLY, BEN ET MOI, ON VA S'ASSEOIR *UN PEU.*

JE NE SUIS PAS D'HUMEUR.

ILS PEUVENT VENIR *QUAND MÊME.* JE LES *SURVEILLERAI*, ALLEN. JE SUIS SÛRE QU'ILS ONT ENVIE DE VOIR *LES VACHES.*

TRÈS BIEN. *SUIVEZ ANDREA*, LES GARÇONS.

OUAIS ! VOIR DES *VACHES !*

IL A L'AIR SI *PAISIBLE*... *BIENHEUREUX*. J'ESPÈRE QU'IL FAIT DE BEAUX RÊVES ET QU'IL PROFITE BIEN DE SA PAUSE EN DEHORS DE TOUTE CETTE *FOLIE*.

SI SEULEMENT IL POUVAIT DORMIR JUS- QU'À CE QUE ÇA SE *TER- MINE*.

BON DIEU, RICK, TU VOU- DRAIS QU'IL SOIT *DANS LE COMA* ?!

QU'EST- CE QUI TE *PREND* DE DIRE ÇA ?

CE N'EST *PAS* CE QUE JE VOULAIS DIRE... JE... *MERDE* ! J'AURAIS JUSTE VOULU QU'IL NE SOIT PAS OBLIGÉ DE TRAVERSER TOUT CE *MERDIER* AVEC NOUS.

C'EST *MAL* ?

JE... *MON DIEU*, LORI... JE M'EN FAIS *TELLEMENT* POUR LUI.

JE *T'AIME*, LORI. JE NE SAIS PAS SI JE TE LE DIS ASSEZ AVEC TOUT CE QUI ARRIVE. JE T'AIME. *VRAIMENT*. JE T'AI *TOUJOURS* AIMÉE.

JE NE SAIS PAS *COMMENT* J'AURAIS TRAVERSÉ TOUT ÇA *SANS TOI*.

JE *T'AIME AUSSI*.

JE T'AIME *TELLE- MENT*.

80

OTIS, C'EST ÇA ?

OUAIS.

JE NE SAIS PAS SI TU AS NOTÉ, ALORS, MOI, C'EST TYREESE.

TU T'EN SORS ?

JE NE FERAIS PAS DE MAL À UNE MOUCHE... JE VEUX DIRE... JE *CHASSAIS* MAIS JE N'AURAIS *JAMAIS* TUÉ UN ANIMAL *SAUF* POUR LE MANGER. JE SUIS UN PACIFIQUE. UN *NON VIOLENT.*

ET J'AI... J'AI *TIRÉ* SUR CE GAMIN. JE COMPRENDS POUR-QUOI CE *RICK* A VOULU ME *TUER.* SI J'L'AVAIS TUÉ, SON GOSSE... J'AURAIS *VOULU* QU'IL ME TUE... JE L'AURAIS *MÉRITÉ.*

ON NE SAIT *MÊME PAS* ENCORE S'IL VA S'EN SORTIR.

JE NE DIS PAS QUE CE QUE TU AS FAIT EST *BIEN* MAIS TU DEVRAIS *PASSER À AUTRE CHOSE,* MAINTENANT. JE SUIS SUPER INQUIET POUR CARL MAIS IL N'Y A *RIEN* QUE TOI OU MOI PUISSIONS Y FAIRE, LÀ.

RICK EN A VU *DE DURES.* COMME *NOUS TOUS.* ON VIENT À PEINE DE S'ÉCHAPPER D'UN LOTISSEMENT PLEIN DE ZOMBIES. UN DE NOS AMIS A PERDU *SA FEMME,* LÀ-BAS. ET LÀ, LE FILS DE RICK SE FAIT TIRER DESSUS.

UN LOTISSEMENT ? ÇA DOIT ÊTRE LE DOMAINE DE WILSHIRE. *PATRICIA* ET MOI, ON ÉTAIT LÀ-BAS QUAND ÇA A COMMENCÉ. TOUS LES GENS DU COIN QUI N'AVAIENT PAS PU ALLER À *ATLANTA* AVAIENT DÉCIDÉ DE S'Y *TERRER.*

ÇA A ÉTÉ UN *DÉSASTRE...* ON N'AVAIT PAS DE PROTECTIONS. QUAND CES TRUCS SE SONT POINTÉS, ON N'AVAIT *AUCUN* MOYEN DE LES ARRÊTER. PATRICIA ET MOI, ON S'EN EST TOUT JUSTE SORTIS *VIVANTS.*

ON N'AVAIT PAS DE *GARDE NATIONALE* POUR NOUS PROTÉGER COMME ILS ONT À *ATLANTA.*

EN FAIT, D'APRÈS CE QUE TOUT LE MONDE DIT, À ATLANTA, C'EST *PIRE.*

C'EST VRAI ? AVEC PATRICIA, ON VOULAIT Y ALLER *CET ÉTÉ...* ON SE DISAIT QUE ÇA SERAIT *PLUS SÛR,* LÀ-BAS.

MERDE.

IL A CRAQUÉ.

FWOP!

LES ENFANTS. ALLEZ JOUER AVEC TATIE CAROL ET SOPHIA. VOTRE PÈRE ET MOI, IL FAUT QU'ON *PARLE*.

D'AC.

ALLEN, IL *FAUT* QU'ON PARLE.

HMH ? QU'EST-CE QUE TU VEUX ?

JE VEUX QUE TU PENSES À TES *ENFANTS*. TU DOIS ÊTRE *FORT* POUR EUX. JE *SAIS* QUE TU SOUFFRES ET TU EN AS LE *DROIT*, MAIS CES GARÇONS ONT *BESOIN* DE TOI.

TU NE PEUX PAS TE *RENFERMER* COMME ÇA.

QUOI ? *QU'EST-CE* QUE TU VEUX DIRE ? TOURNER LA *PAGE* ? ARRÊTER *D'ÊTRE* TRISTE ? DIS CAR-RÉMENT QUE JE *FAIS MA CHO-CHOTTE*, FAIS-TOI *PLAISIR* !

PUTAIN, JE VIENS DE PERDRE *MA FEMME*, CONNASSE. QU'EST-CE QUE T'EN AS À *BRANLER* DE COMMENT JE GÈRE MON *DEUIL* ?

VA TE FAIRE FOUTRE !

82

QUOI ? JE NE SAIS PAS CE QUE C'EST QUE DE *PERDRE* QUEL-QU'UN ?! JE VIENS DE PERDRE MA *SŒUR*, BORDEL ! LE DEUIL, JE CONNAIS. JE SAIS *EXACTEMENT* CE QUE TU TRAVERSES ! JE ME SUIS *RENFERMÉE* SUR MOI QUAND J'AI PERDU AMY. JE N'AI PAS *PARLÉ* PENDANT *DES JOURS*... JE NE POUVAIS PAS PENSER... JE SUIS PRESQUE *DEVENUE FOLLE*.

MAIS TU N'AS PAS *CE LUXE*. BEN ET BILLY ONT *BESOIN* DE LEUR PÈRE *MAINTENANT* ! J'ESSAYAIS JUSTE DE T'AIDER, *CONNARD*.

MA *FEMME* VIENT DE *MOURIR* !

ET MA *SŒUR* EST MORTE. SHANE EST MORT. JIM EST MORT ! MES PARENTS SONT SÛREMENT MORTS ! TOUS CEUX QUE J'AI CONNUS SONT PROBABLEMENT MORTS !

MES *AMIS*, MA *FAMILLE*, MES *VOISINS*, MES *COLLÈGUES*... TOUT LE MONDE.

CHACUN, DANS NOTRE GROUPE, DOIT *DIGÉRER* ÇA... ON EST *ENCERCLÉS* PAR LA MORT. ELLE SUBMERGE NOS VIES. ET IL N'Y A *RIEN* QU'ON PUISSE Y *CHANGER* !

SOIT ON *L'ACCEPTE*, SOIT *NON*. MAIS *LÀ*, TOUT DE SUITE, TES GOSSES ONT *BESOIN* QUE TU L'ACCEPTES... ET QUE TU *TOURNES LA PAGE*.

ILS ONT *BESOIN* DE TOI. PENSE À *EUX*.

JE NE FAIS *QUE ÇA*, PENSER À EUX ! DEPUIS *DES JOURS* ! JE PENSE À EUX QUI VONT GRANDIR *SANS LEUR MÈRE*... VIEILLIR... L'OUBLIER... JUSQU'À SON *VISAGE*.

ALORS, NE VIENS PAS ME DONNER DES CONSEILS, *PETITE PUTE*. T'Y CONNAIS *QUE DALLE*. ÇA NE SERT À *RIEN*.

JE PENSE À *ÇA* ET ÇA ME *DÉCHIRE*.

FOUS-MOI *LA PAIX* !

VOTRE FILS EST *RÉ-VEILLÉ*.

MERCI, MON DIEU !

OÙ EST MON *CHA-PEAU* ?

FISTON ! SI TU SAVAIS COMME JE SUIS HEUREUX QUE TU AILLES BIEN !

COMMENT TU TE SENS, CARL ? TU AS ENCORE *MAL* ?

À L'ÉPAULE, OUI. *TRÈS* MAL.

NE T'IN-QUIÈTE PAS, BONHOMME. TU SERAS *VITE* EN FORME.

'VAUT MIEUX QUE PERSONNE M'AIT PIQUÉ MON *CHA-PEAU* !

T'INQUIÈTE, GAMIN. JE TE L'AI GARDÉ *AU CHAUD*.

DE RIEN. JE SUIS CONTENT DE VOIR QUE TU VAS *BIEN*.

MERCI, TYREESE.

'FAUT QUE JE TE DISE, *RICK*. OTIS S'EN VEUT À *MORT* POUR TOUT ÇA. SI TU POUVAIS... JE VEUX DIRE, IL A L'AIR D'ÊTRE UN *CHIC TYPE*...

JE SUIS CENSÉ DIRE *QUOI* ? "T'AS TIRÉ SUR MON FILS MAIS C'EST PAS GRAVE ?". *MON CUL*. PAS QUESTION. CE QU'IL A FAIT, C'ÉTAIT *IRRES-PONSABLE*.

S'IL EST *AUSSI* IMPRU-DENT QUE ÇA, IL N'A RIEN À FAIRE DANS LES BOIS AVEC *UN FUSIL*, POUR COMMEN-CER.

ÇA NE PEUT PAS FAIRE DE *MAL* DE...

QUELQU'UN M'A *TIRÉ* DESSUS ?

QUI M'A TIRÉ DESSUS ?

OH, FISTON... *DÉSOLÉ*. DANS LES BOIS. UN CERTAIN *OTIS* T'A TIRÉ DESSUS PAR ACCIDENT.

MAIS NE T'INQUIÈTE *PAS*, MON CHÉRI. *TOUT* VA BIEN SE PASSER, MAINTENANT. TU VAS TE REMETTRE D'APLOMB.

OTIS M'A AIDÉ À T'EMMENER ICI ET SON AMI *HERSHEL* T'A SOIGNÉ. ON VA RESTER ICI, LE TEMPS QUE TU TE REPOSES... ON A *PLEIN* DE GENS À TE PRÉSENTER, FISTON.

GÉNIAL. *J'ADORE* RENCONTRER DES GENS.

ON PEUT VOUS DÉRANGER ? *SOPHIA* VOUDRAIT VOIR CARL.

ENTREZ, LORI ET MOI, ON ÉTAIT SUR LE POINT D'ALLER CHERCHER À *MANGER*. ÇA LUI FERA DE LA COMPAGNIE.

SOIS *SAGE*, CARL. REPOSE-TOI BIEN QUAND *CAROL* ET *SOPHIA* SERONT PARTIES.

REGARDE-LES...

ILS SONT SI *MIGNON* TOUS LES DEUX.

LAISSONS-LES DIS-CUTER.

ÇA T'A FAIT MAL ?

JE NE SAIS PAS... JE NE ME SOUVIENS *PLUS*. JE CROIS. JE PARIE QUE JE VAIS AVOIR UNE *SACRÉE CICATRICE* !

CLASSE. CE SERA *SEXY*.

SEXY ? TU NE SAIS MÊME PAS CE QUE ÇA VEUT DIRE.

TOI NON *PLUS*.

OUI MAI C'EST PA MOI QU L'AI DIT

ÇA VEUT DIRE *MIGNON*, POUR LES ADULTES... JE CROIS.

BEN... LES CICATRICES, C'EST *PAS* MIGNON.

JE SUIS CONTENTE QUE TU AILLES *BIEN*.

SMECK!

AAOH ! DÉGUEU !

LORI ?

QUE PUIS-JE POUR TOI, DALE ?

JE VAIS *PARLER* ET TU VAS *ÉCOUTER*. JE SUIS UN VIEIL HOMME... TROP VIEUX POUR LES *DISPUTES*. ALORS, SACHE QUE JE N'AI PAS ENVIE D'EN ARRIVER LÀ. JE VAIS TE *DIRE* CE QUE J'AI À DIRE ET CE SERA *TOUT*.

RICK EST LA *COLONNE VERTÉBRALE* DE CE GROUPE. C'EST LA FONDATION QUI NOUS SOUTIENT. IL LE *SAIT*. C'EST POUR ÇA QU'ON NE VOIT RIEN QUAND IL A PEUR... ON *SAIT* QU'IL A PEUR MAIS IL NE MONTRE *RIEN*. ON A BESOIN DE ÇA. ON A *BESOIN* DE LUI.

JE NE SAIS *PAS* CE QUE TU AS FAIT AVEC SHANE. JE NE SAIS PAS CE QUE TU AS *FAIT* POUR LUI DONNER DES IDÉES, MAIS SI CE BÉBÉ EST *DE LUI*... ET PAS DE *RICK*... JE T'EN SUPPLIE, EMPORTE CE SECRET *DANS LA TOMBE*.

ÇA LE *TUERAIT*. IL N'EN FAUDRAIT PAS PLUS POUR QU'IL *PÈTE UN CÂBLE*. ET ON N'A *PAS* BESOIN DE ÇA.

JE NE T'ACCUSE DE *RIEN*. PAS LA PEINE DE TE *DÉFENDRE*. JE VOULAIS JUSTE DONNER MON AVIS ET JE SUIS CONTENT QUE TU L'AIES ÉCOUTÉ.

ILS ONT DÛ PRÉPARER LE *DÎNER*. À TABLE.

GLENN, C'EST ? ALORS, EUH... POURQUOI TU MATES TOUT LE TEMPS LA COPINE DU *NOIR*, LÀ ?

TU NE L'AS PAS *QUITTÉE* DES YEUX DE TOUT LE REPAS.

HEIN ?

JE T'AI *VU* LA REGARDER... C'EST *QUOI*, LE TRUC ?

AVANT QUE *TYREESE* VIENNE... J'AVAIS DES VUES SUR CAROL... ELLE EST *UN PEU* PLUS VIEILLE QUE MOI... MAIS JE L'*AIMAIS* BIEN.

JE DOIS ÊTRE UN PEU DÉGOÛTÉ D'AVOIR JAMAIS TENTÉ MA CHANCE.

OUAIS, ELLE A L'AIR *MIGNONNE*.

C'EST *MÊME* PAS ÇA... JE VEUX DIRE... ELLE EST *FOLIE* MAIS... JE SAIS PAS. TOUT LE MONDE AUTOUR DE MOI SE MET *EN COUPLE*. C'EST JUSTE QU'IL N'Y A PAS ASSEZ DE *MEUFS*.

AVEC TOUT CE QUI SE PASSE... JE N'AI PAS ENVIE DE FINIR *TOUT SEUL*. JE VEUX DIRE... J'AIMERAIS BIEN FAIRE L'AMOUR ENCORE *UNE OU DEUX FOIS* AVANT DE MOURIR, QUOI.

MON *DIEU*. JE NE TE CONNAIS *MÊME* PAS. DÉSOLÉ, JE NE VOULAIS PAS TE *DÉBALLER* MA VIE...

ON *PEUT* BAISER.

QUOI ?

SI C'EST *ÇA* QUE TU RECHERCHES, *ON VA BAISER*.

MON COPAIN EST *PARTI*... SANS DOUTE *MORT*. MAIS BON, IL ÉTAIT UN PEU *NAZE*, DE TOUTE FAÇON. TU ES LE SEUL MEC QUE JE VOIE DEPUIS DES MOIS QUI NE SOIT PAS DE MA *FAMILLE*, À PART CE *CRÉTIN* D'OTIS. COMME TU DIS, ON N'A PAS *BEAUCOUP* DE CHOIX.

ON DOIT *PRENDRE* LES CHOSES EN MAIN... OU ON VA FINIR *TOUT SEULS*.

OUI, C'EST *LOGIQUE*.

ALORS, ON N'A QU'À *BAISER*. T'ES PARTANT ?

C'EST *CLAIR*.

BON. LES JEUNES. IL FAUT QU'ON *PARLE.*

PAPAA !

Y A *PAS DE* "PAPA" QUI TIENNE, JEUNE FILLE. ÇA NE VA PAS CONTINUER JUSTE SOUS MON NEZ ! J'AI *VRAIMENT* PAS LE TEMPS DE JOUER.

JE NE VEUX PAS AVOIR À *M'INQUIÉTER* DE VOS CONNERIES EN PERMANENCE. PAS QUESTION DE VOUS SURVEILLER EN PLUS DE TOUT LE *BORDEL* QUE J'AI À FAIRE.

VOUS VOULEZ AVOIR UN *GOSSE* ? VOUS VOUS RENDEZ COMPTE DES *RISQUES* ? JE NE SAIS PAS COMMENT RICK ET LORI *FONT* POUR ASSURER COMME ÇA.

CE N'EST *PAS* UN JEU. JE SAIS QUE VOUS *CROYEZ* ÊTRE AMOUREUX MAIS VOUS ÊTES *JEUNES...* RÉFLÉCHISSEZ À CE QUE VOUS FAITES.

≈HHHH≈

ALORS, SURVEILLEZ VOS MAINS, *D'ACCORD* ?

TU VOIS ? JE T'AVAIS DIT QU'ON AURAIT *DÛ* LE FAIRE. JE VEUX ÊTRE AVEC TOI *POUR TOUJOURS.* JE NE VEUX PAS QUE *TON PÈRE* SE DRESSE ENTRE *NOUS.*

JE *SAIS...* JE VEUX JUSTE FAIRE ÇA QUAND CE SERA LE *MOMENT.* ON DOIT ATTENDRE.

TRÈS BIEN, JULIE. COMME TU VEUX... MAIS JE N'ATTENDRAI *PAS* ÉTER-NELLEMENT.

CET ENDROIT APPARTENAIT À *MON PÈRE*. J'AI *GRANDI* DANS CETTE FERME. MAIS JE NE L'AI *JAMAIS* AIMÉE. JE VOULAIS DEVENIR VÉTÉRINAIRE... ALORS, C'EST CE QUE J'AI FAIT. JE VOULAIS SOIGNER LES BÊTES, LES PETITES ET LES GROSSES... J'AI FAIT ÇA PENDANT *DES ANNÉES*.

QUAND *MA FEMME* EST MORTE, MON CABINET S'EST EFFONDRÉ... ELLE S'OCCUPAIT DE TOUTE LA PARTIE ADMINISTRATIVE... MOI, JE M'OCCUPAIS JUSTE DES ANIMAUX.

JE NE POUVAIS *RIEN FAIRE* SANS ELLE.

JE SUIS DÉSOLÉ. ÇA S'EST PASSÉ QUAND ?

ELLE NOUS A QUITTÉS IL Y A *SIX ANS*, PRESQUE. LES DERNIÈRES PAROLES DE MON PÈRE ONT ÉTÉ DE ME DEMANDER DE REVENIR M'OCCUPER DE *LA FERME*.

JE ME SUIS DIT QUE C'ÉTAIT CE QUE J'AVAIS DE *MIEUX* À FAIRE.

ÇA FAIT CINQ ANS QUE J'Y SUIS. C'EST UN TRAVAIL *HONNÊTE*. JE COMPRENDS POURQUOI MON PÈRE L'AIMAIT TANT. IL N'Y A RIEN DE TEL QUE DE VIVRE DE LA *TERRE*... SUBVENIR À SES *BESOINS*... SAVOIR *EXACTEMENT* D'OÙ VIENT LA NOURRITURE QU'ON MANGE.

EN TOUT CAS, C'EST PRATIQUE, COMPTE TENU DES ÉVÉNEMENTS ACTUELS.

ÇA, C'EST *SÛR*. ON DIRAIT QUE VOUS ÊTES *BIEN* INSTALLÉS, ICI.

PROFITEZ-EN BIEN, LE TEMPS QUE *CARL* SE SOIGNE. JE VOUS *CONSEILLE* DE RESTER PENDANT CETTE PÉRIODE. ÇA SERAIT MAUVAIS POUR LUI D'AFFRONTER LES *ÉLÉ-MENTS*. PAS *TOUT DE SUITE*.

ON N'A PAS BEAUCOUP DE PLACE DANS LA MAISON. VOUS ALLEZ DEVOIR DORMIR DANS LE *CAMPING CAR*. MAIS ON A *TOUTE* LA NOURRITURE QU'IL FAUT. ET VOUS N'AUREZ *PAS* DE SOUCIS À VOUS FAIRE PENDANT LA JOURNÉE.

ET LA *GRANGE* ? VOUS PENSEZ QU'ON POURRAIT S'Y INSTALLER ? ON EN A UN PEU *MARRE* DE S'ENTA-SER DANS LE *CAMPING CAR*.

LA GRANGE ? MIEUX VAUT NE PAS ENTRER LÀ-DEDANS, *CROYEZ-MOI*.

C'EST LÀ QUE NOUS GAR-DONS NOS MORTS.

"VOS MORTS" ?! COMMENT ÇA, "VOS MORTS" ?

VOUS SAVEZ... LES MORTS... CES GENS QUI MAR-CHENT *ENCORE* QUAND ILS NE DEVRAIENT PLUS. CEUX QUI POSENT TOUS CES *PRO-BLÈMES.*

ET VOUS GARDEZ CES... *CHOSES* DANS LA GRANGE... SUR VOTRE PROPRIÉTÉ... À CÔTÉ DE L'EN-DROIT OÙ VOUS *DORMEZ* ?

OUAIS, ON LES GARDE DANS LA GRANGE LE TEMPS DE TROUVER UN MOYEN DE LES AIDER. VOUS EN FAISIEZ *QUOI,* VOUS ?

D'APRÈS VOUS, QU'EST-CE QU'ON EN FAIT ? VOUS AVEZ DIT VOUS MÊME QU'ILS DEVRAIENT ÊTRE MORTS. LEUR TIRER DANS LA TÊTE, ÇA RÈGLE LA QUESTION.

NOUS, ON LES *TUE.*

ON LEUR ÉPARGNE UN *SORT ÉPOUVANTABLE* ET ON LES EMPÊCHE DE *NOUS TUER* ! CES MONSTRES NE SONT *PAS* HUMAINS. CE SONT DES *MORTS-VIVANTS*.

ILS ESSAIENT DE NOUS *DÉVORER*, NOM DE DIEU !

VOUS IGNOREZ *POUR-QUOI* ! VOUS NE SAVEZ *MÊME PAS* D'OÙ VIENT LEUR PROBLÈME. *PERSONNE* NE SAIT. ON NE SAIT ABSOLUMENT *RIEN* SUR EUX. NI SUR CE QUI SE PASSE.

VOUS *LES TUEZ* ? VOUS LES AVEZ *TOUS* TUÉS ?

JE SAIS QUE CES TRUCS ESSAIENT DE NOUS *TUER*... ET MOINS IL Y EN AURA, PLUS ON SERA EN SÉCURITÉ. ET JE SAIS QUE CE N'EST *PAS MALIN* D'EN AVOIR UNE CHIÉE ENTASSÉE À *DEUX PAS* DE VOTRE *PUTAIN DE BARAQUE* !

ON DEVRAIT ALLER DANS CETTE GRANGE TOUT DE SUITE ET LES ABATTRE *JUSQU'AU DERNIER*. C'EST *DANGEREUX* DE LES GARDER ICI. IL FAUT LES *TUER* AVANT QU'ILS NE NOUS TUENT !

MON *FILS* EST LÀ-DEDANS, MERDE !

VOTRE *FILS* ?

SHAWN A ÉTÉ *MORDU*. C'ÉTAIT AVANT QU'ON MONTE LA CLÔTURE AUTOUR DE LA MAISON. JE... JE N'AI RIEN PU FAIRE POUR LUI. IL EST MORT DEUX JOURS PLUS TARD... ET IL EST DEVENU *L'UN D'ENTRE EUX*.

JE NE SAVAIS *PAS* QUOI FAIRE, ALORS J'AI ENFERMÉ SHAWN DANS LA GRANGE. IL... IL A ESSAYÉ DE NOUS ATTAQUER... DE NOUS *TUER*. MAIS JE N'AI PAS PU LE TUER. JE N'AI *PAS PU* M'Y RÉSOUDRE. QUAND ON EN A TROUVÉ *D'AUTRES*, ON LES A GARDÉS AUSSI.

HERSHEL, JE... JE SUIS *DÉSOLÉ*. VRAIMENT. JE *N'IMA-GINE* PAS CE QUE VOUS AVEZ DÛ ENDURER. SI J'AVAIS PERDU CARL... JE... *JE NE SAIS PAS* CE QUE J'AURAIS FAIT.

JE NE CROIS PAS QUE JE POURRAIS *VIVRE* SANS MON FILS... MAIS VOUS DEVEZ M'ÉCOUTER, *HERSHEL*. CETTE CHOSE DANS LA GRANGE... CE N'EST *PAS* VOTRE FILS.

ÔTEZ VOTRE MAIN DE LÀ !

THAP!

PAS MON FILS ? VOUS ÊTES UN *PUTAIN D'EXPERT* OU QUOI ? CHEZ VOUS, JE NE SAIS PAS, MAIS ICI, LES ZOMBIES N'ONT PAS ÉTÉ LIVRÉS *AVEC UN PUTAIN DE MODE D'EMPLOI* !

ON NE SAIT *FOUTRE RIEN D'EUX.* ON NE SAIT *PAS* CE QU'ILS PENSENT... CE QU'ILS *RESSENTENT.* ON NE SAIT *PAS* SI C'EST UNE MALADIE OU UN *EFFET SECONDAIRE* DÛ À UNE *ARME CHIMIQUE* ! ON SAIT *QUE DALLE* !

POUR AUTANT QUE L'ON SACHE, CES CHOSES POURRAIENT SE RÉVEILLER *DEMAIN*, GUÉRIR ET *REVENIR À LA NORMALE.*

ON N'EN SAIT *RIEN* ! VOUS AVEZ *PEUT-ÊTRE* ASSASSINÉ *TOUS* CES GENS EN LEUR ÉVITANT UN "SORT ÉPOUVANTABLE".

ILS SONT *MORTS.* AVANT DE SE RELEVER... AVANT D'ESSAYER DE VOUS MANGER... ILS *MEURENT.* VOUS DITES QUE VOUS AVEZ VU *MOURIR* VOTRE FILS. *IL EST MORT.* CES CHOSES SONT DES *CADAVRES PUTRÉFIÉS* AVEC DES MEMBRES QUI *TOMBENT*... ILS NE SONT PAS MALADES... ILS SONT *MORTS.*

RICK, ÉCOUTEZ. CES CHOSES SONT *PEUT-ÊTRE* EN PHASE DE RÉMISSION. ILS SONT PEUT-ÊTRE EN TRAIN DE *GUÉRIR*... C'EST POUR ÇA QUE ÇA NE MARCHE PAS COMME IL FAUT. ON EST DANS *L'INCONNU.* ON NE SAIT *PAS* COMMENT GÉRER ÇA.

JE NE VEUX *PAS* AVOIR DE SANG SUR LES MAINS ON *DÉCOUVR* QUE CES GEN SONT *EN VIE.*

NON. ILS SONT *MORTS* ! J'EN AI VU AVEC LES *TRIPES À L'AIR*. CE QUE VOUS DITES N'A *AUCUN* SENS.

RICK ! NOUS SOMMES DES *INVITÉS*, ICI. CE N'EST PAS À *NOUS* D'ÉTABLIR LES RÈGLES.

ARRÊTE ÇA.

TU AS RAISON, TYREESE. *PARDON.*

VOUS EN AVEZ COMBIEN, *LÀ-DE-DANS* ?

QUATORZE. ON A DÛ PILLER LES MAISONS D'À CÔTÉ POUR CONSTITUER DES RÉSERVES... COUVERTURES, CARBURANT, TOUT ÇA. *TOUS NOS VOISINS* AVAIENT CHANGÉ. ON LES A, *EUX* ET *LEURS GAMINS*... ET DEUX AUTRES QUI VAGABONDAIENT SUR LA PROPRIÉTÉ.

ILS NE *PEUVENT PAS* SORTIR DE LA GRANGE. ILS SONT *BIEN ENFERMÉS*. ON EST À L'ABRI, ICI. NE VOUS INQUIÉTEZ PAS.

SI VOUS LE DITES, ALORS JE VOUS CROIS.

J'ES-PÈRE QUE C'EST VRAI.

...

ALLEN ?

ÇA VA ?

JE NE SAIS PAS, RICK. ÇA FAIT *UN BAIL* QUE JE NE SAIS *PLUS* QUOI RÉPONDRE À ÇA.

TU VAS RESTER DEHORS ENCORE LONGTEMPS ? IL FAIT *FROID*.

JE NE PEUX *PAS* DORMIR LÀ-DEDANS, TU VOIS. JE M'ASSIEDS ET JE ME SOUVIENS QU'ON DORMAIT *LÀ*, DEVANT LE CANAPÉ, ET *QU'ELLE N'EST PLUS LÀ*.

JE NE PEUX *PAS* M'EMPÊCHER DE PENSER À ELLE.

LA NUIT DERNIÈRE, JE TE *JURE* QUE J'AI ENTENDU DONNA ME PARLER. J'ÉTAIS *COUCHÉ*, J'ESSAYAIS DE DORMIR ET ELLE ME RÉPÉTAIT "PRENDS SOIN DE MES PETITS GARÇONS". C'ÉTAIT *TRÈS CLAIR*. COMME SI ELLE ÉTAIT *ASSISE À CÔTÉ DE MOI*.

JE DOIS *PERDRE LA BOULE*.

TU VAS T'EN SORTIR, *MEC*. NE T'EN FAIS PAS.

JE NE SAIS PAS... PARFOIS, QUAND JE RÉALISE À QUEL POINT JE VOUDRAIS MOURIR, ÇA ME FAIT *PEUR*.

J'AIME MES ENFANTS... JE SAIS QU'ILS ONT BESOIN DE MOI. MAIS PARFOIS, JE ME DIS QUE ÇA SERAIT SI FACILE...

TU DOIS TE *REPRENDRE*, ALLEN. TU AS LE DROIT D'ÊTRE TRISTE, *C'EST ÉVIDENT*... MAIS TU *DOIS ÊTRE LÀ* POUR TES FILS. ILS ONT *BESOIN DE TOI*.

TU NE DOIS...

AH, EUH... SALUT LES GARS. JE NE POUVAIS PAS DORMIR. JE SORS... *PRENDRE L'AIR*.

T'INQUIÈTE, RICK. JE NE VAIS PAS BIEN LOIN.

FAIS *GAFFE*, GLENN. IL FAIT *BIEN NOIR*, CETTE NUIT.

JE *COMPRENDS* CE QUE TU VEUX DIRE, RICK. MAIS C'EST *DUR*. PUTAIN, *C'EST DUR*.

JE *SAIS*, ALLEN... *PLUS RIEN* N'EST SIMPLE, AUJOUR- D'HUI.

PLUS RIEN.

'JOUR HERSHEL.

AH ! *HÉ*, BONJOUR.

VOTRE ÉQUIPAGE A BIEN DORMI, CETTE NUIT ?

OUAIS. ILS AVAIENT UN PEU PLUS DE PLACE DANS LE VÉHICULE PUISQUE LORI ET MOI, ON A DORMI AVEC CARL DANS LA MAISON.

ILS ONT DÛ DORMIR AUSSI BIEN QUE D'HABITUDE, JE VEUX DIRE. ON NE DORT PLUS SI BIEN QUE ÇA. *PERSONNE*.

JE *VOIS* CE QUE VOUS VOULEZ DIRE. MOI NON PLUS, ÇA FAIT *LONGTEMPS* QUE JE N'AI PAS CONNU UNE BONNE NUIT DE SOMMEIL.

JE NE SAIS PAS *COMMENT* VOUS AVEZ FAIT À L'ÉPOQUE OÙ VOUS CAMPIEZ. JE NE M SENS DÉJÀ PAS EN SÉCURIT QUAND JE *DORS* DANS MA MAISON...

ÉCOUTEZ... JE VOULAIS VOUS PRÉSENTER *DES EXCUSES* POUR HIER. JE NE VOULAIS PAS *ABUSER* COMME ÇA. JE SUIS UN PEU À *CRAN* DEPUIS QUE *CARL* A ÉTÉ *TOUCHÉ* ET J'AI *DÉPASSÉ LES BORNES*.

JE COMPRENDS. ON EST *TOUS* UN PEU À CRAN, C'EST *NORMAL*. JE NE VOUS EN VEUX PAS.

EN TOUT CAS, SACHEZ QUE J'APPRÉCIE *VRAIMENT* CE QUE VOUS AVEZ FAIT POUR CARL ET LE FAIT QUE VOUS NOUS PERMETTIEZ DE *RESTER ICI*.

JE VOUS EN PRIE. JE FAIS CE QUE JE PEUX POUR AIDER MON PROCHAIN.

QUOI QU'IL EN SOIT... JE VAIS VOUS DONNER DES ARMES, À VOUS ET À VOTRE FAMILLE. ON A PILLÉ UNE ARMURERIE À *ATLANTA*. ON EN A PLEIN.

ON PEUT VOUS DONNER CE QU'ON A EN TROP. *TROIS PISTOLETS* ET *UN FUSIL*. ON S'EST DIT QUE ÇA POURRAIT VOUS ÊTRE *UTILE*. ON A DES *MUNITIONS*, AUSSI, MAIS *PAS TANT QUE ÇA*.

EH BIEN, MERCI, RICK. J'ESPÈRE QU'ON N'AURA *PAS TROP* À S'EN SERVIR MAIS EN CAS DE BESOIN, ÇA POURRA ÊTRE PRATIQUE.

JE VAIS FAIRE DU *TIR SUR CIBLE* AVEC NOS AMIS... LES JEUNES, SURTOUT. SI LE CŒUR VOUS EN DIT... J'ENSEIGNERAI AUSSI LES BASES DE LA *SÉCURITÉ* QUAND ON SE SERT D'UNE ARME. AUTANT *ÉVITER* D'AVOIR DES GENS ARMÉS *SANS EXPÉRIENCE* DANS LA NATURE. C'EST DÉJÀ ASSEZ *DANGEREUX* SANS ÇA.

JE PEUX COMPTER SUR VOUS ?

LACEY, ARNOLD ET SANS DOUTE *MAGGIE*, ÇA VA LES INTÉRESSER. LES AUTRES SONT TROP JEUNES, JE NE VEUX PAS QU'ILS PORTENT DES ARMES. VOTRE FILS *CARL* A L'AIR À L'AISE AVEC LA SIENNE, MAIS MES ENFANTS N'ONT PAS GRANDI DANS CE GENRE *D'ENVIRONNEMENT*.

JE COMPRENDS. JE RASSEMBLE-RAI TOUT LE MONDE CET APRÈS-MIDI.

PROPOSEZ À *PATRICIA*, LA PETITE AMIE D'OTIS. ELLE SE SENTIRAIT *DAVANTAGE* EN SÉCU-RITÉ SI ELLE N'AVAIT PAS À COMPTER QUE SUR *OTIS* EN CAS DE PÉPIN.

C'EST *CLAIR*.

SALUT ALLEN.

TU PIGES PAS *OU QUOI* ? J'AI PAS *ENVIE* DE TE PARLER. TU VEUX L'OUVRIR ET DONNER DES CONSEILS SUR DES TRUCS OÙ T'Y CONNAIS *QUE DALLE* ? VA L'OUVRIR *AILLEURS*.

NON *MAIS* QU'EST-CE... ?

JE SUIS *DÉSOLÉE*, ALLEN. JE NE VOULAIS PAS TE FAIRE CHIER.

NON, DALE. *ÇA VA*, LAISSE TOMBER.

AH BEN, BRAVO, C'EST *RÉUSSI*.

SOPHIA EST LÀ-DEDANS. ELLE PARLE AVEC CARL. *ENCORE*. JE VOUS JURE, DANS QUELQUES ANNÉES, IL VA FALLOIR LES SURVEILLER *DE PRÈS*. ILS S'ENTENDENT *UN PEU TROP BIEN* POUR LEUR ÂGE.

HÉ, OÙ VOUS AVEZ EU *ÇA* ?

LE *LIVRE* ? LA FILLE AÎNÉE D'HERSHEL, LACEY. ELLE A TOUTE UNE BIBLIO-THÈQUE. JE NE M'ÉTAIS PAS *RENDU COMPTE* À QUEL POINT ÇA ME MANQUAIT, DE LIRE. MARRANT, ON OUBLIE VITE...

PARLE *POUR TOI*... JE TUERAIS POUR VOIR UN MATCH DES *VIKINGS*. ÇA FAIT *DES SEMAINES* QUE ÇA ME TRAVAILLE.

PAREIL. J'AIMERAIS BIEN AVOIR DES NOUVELLES DES *RAIDERS*. S'IL Y A UNE ÉQUIPE QUI A PU SURVIVRE À ÇA... *C'EST EUX*.

AU FAIT, *CHRIS* ET *JULIE* VONT FAIRE DU *TIR* AVEC NOUS, TOUT À L'HEURE, HEIN ? ILS VONT GARDER LEUR FLINGUE SUR EUX EN PER-MANENCE ?

JE NE SAIS *PAS*, MON POTE. JE *VEUX* QU'ILS *SOIENT* EN SÉCURITÉ ET QU'ILS SE *SENTENT* EN SÉCURITÉ. MAIS ILS NE SONT PAS PRÊTS À PORTER UNE ARME TOUT LE TEMPS. APRÈS QUELQUES SÉANCES D'ENTRAÎNEMENT, QUAND ILS MAÎTRISERONT BIEN LA CHOSE... MAIS *MÊME LÀ*, JE NE SUIS PAS SÛR D'ÊTRE À L'AISE.

CE SONT DES *ADO-LESCENTS*... JE NE SAIS *PAS* À QUOI ILS PENSENT.

JE VOIS CE QUE TU VEUX DIRE. TU VOIS CE QUI NOUS *ATTEND*, CAROL ?

PAS MOI. J'EN AI PARLÉ À SOPHIA ET ELLE VA PASSER *DIRECTEMENT* À L'ÂGE ADULTE.

HOLÀ, HOLÀ ! CESSEZ LE FEU ! TOUT DE SUITE !

IL Y A UN PROBLÈME, HERSHEL ?

LA MAISON DES THOMPSON EST DE L'AUTRE CÔTÉ DE CES ARBRES !

VOS BALLES DOIVENT PROVOQUER DES DÉGÂTS SUR LEUR FAÇADE !

VOUS NE *POUVEZ PAS* TIRER DANS CETTE DIRECTION !

MINCE, DÉSOLÉ. JE NE SAVAIS PAS. LES *THOMPSON*, C'EST ÇA ? ILS... EUH...

ILS SONT *DANS LA GRANGE* ?

CE N'EST *PAS* LA QUESTION ! VOUS N'ALLEZ PAS *DÉTRUIRE* LEUR MAISON ! VOUS NE POUVEZ PAS...

CE N'EST *PAS* CE QUE JE VOULAIS DIRE...

QUOI ? QU'EST-CE QU'IL Y A ?

ALLEZ PAR LÀ POUR ATTIRER SON ATTENTION.

PAR ICI, PLAY-BOY !

JE TE TIENS !

ON DIRAIT QUE VOUS MAÎTRISEZ LA TECHNIQUE.

DU GÂTEAU.

LACEY, ARNOLD... J'AI BESOIN DE VOTRE AIDE POUR LE RENTRER DANS LA GRANGE.

GOLIB.

ALLEZ DE L'AUTRE CÔTÉ FAIRE *DIVERSION* AUPRÈS DES AUTRES, LE TEMPS QUE JE LE POUSSE.

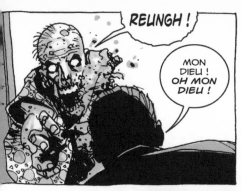

110

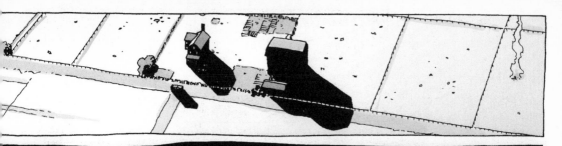

VOUS AVIEZ RAISON.

PAPA. MONSIEUR *GRIMES* N'A PAS *REPRIS* NOS PISTOLETS APRÈS L'ENTRAÎNEMENT. JE NE VEUX PAS QUE TU TE *FÂCHES* PLUS TARD PARCE QU'ON LES A ENCORE... ALORS JE TE LES *RENDS.*

RICK A EU UN PROGRAMME *CHARGÉ,* JULIE. JE VAIS...

ATTENDS... GARDEZ-LES. VOUS SEREZ *PLUS EN SÉCURITÉ* AVEC. JE NE VEUX LES VOIR *QU'EN CAS D'URGEN-CE.* QU'ILS SOIENT RENGAINÉS EN PERMANENCE.

D'AC-CORD.

ENFIN. J'AI CRU QUE CE CONNARD NE NOUS LAISSERAIT *JAMAIS* AVOIR DE FLINGUE.

ÇA VA ÊTRE *PLUS SIMPLE,* MAINTE-NANT.

OUI. ON VA LE FAIRE DÈS QUE CE SERA *LE BON MOMENT.* JE T'AIME, CHRIS.

JE T'AIME AUSSI.

'JOUR, CHÉRIE.

BIEN DORMI ? JE DOIS DIRE QUE CE LIT FAIT DES *MERVEILLES* POUR MOI. MÊME EN NOUS SERRANT TOUS LES TROIS, JE DORS *MIEUX* QUE DANS LE...

ÇA VA ?

NON. *NAUSÉE MATINALE...* ÇA DÉMARRE À PLEIN TUBE, CE MATIN. JE...

≈EULP≈

MAMAN VOMIT *ENCORE* ?

OUAIS.

AH.

DALE ?
TU VIENS
?

OUAIS. UNE MINUTE. JE VOULAIS NETTOYER UN BRIN. TU TE *SOUVIENS* QUAND C'ÉTAIT CHEZ NOUS ? AVANT QUE *TOUT LE MONDE* COMMENCE À DORMIR LÀ-DEDANS ? C'ÉTAIT PAS MAL.

JE CROIS QUE JE N'ARRIVERAI *JAMAIS* À FAIRE PARTIR L'ODEUR. ÇA S'EST *INCRUSTÉ* DANS LES MURS. C'EST *FOUTU.*

ERMA FERAIT UN *CARNAGE* SI ELLE VOYAIT ÇA.

PARDON. JE SAIS QUE TU N'AIMES PAS QUE JE PARLE D'ELLE.

NON. C'ÉTAIT *TA FEMME.* JE COMPRENDS. C'EST JUSTE QUE ÇA ME RAPPELLE QUE TU PENSES *TOUJOURS* À ELLE. ET MOI...

NE VOIS PAS ÇA *COMME ÇA,* ANDREA. J'AI ÉTÉ MARIÉ À ERMA PENDANT PRESQUE *QUARANTE ANS.* TU NE PEUX PAS ÊTRE JALOUSE DE MES SOUVENIRS.

JE SAIS, DALE... *JE SAIS.*

JE T'AIME, ANDREA. JE T'AIME *VRAIMENT.*

JE LE JURE.

118

TU *REGRETTES* D'AVOIR DEMANDÉ ?

À PEU DE CHOSES PRÈS... GENRE, LE STRESS DU BÉBÉ... MOI, ÇA VA. J'AI MA *FEMME*, MON *FILS*... ON VA BIEN. JE N'AI *PAS* À ME PLAINDRE.

JE NE VAIS PAS PRÉTENDRE *SAVOIR* CE QUE TU TRAVERSES... JE PEU PAS DIRE "OUAIS, JE SAIS CE QUE TU RESSENS". CE SERAIT *FAUX*. JE NE SAIS PAS QUOI TE DIRE.

NON... ENFIN... CE N'EST PAS ÇA. JE NE SAIS *PAS* QUOI TE DIRE.

TU N'AS BESOIN DE RIEN DIRE, RICK.

TU N'ARRANGERAS PAS LES CHOSES. JE NE ME SENTIRAI *PAS MIEUX*. TU T'INQUIÈTES POUR MOI, ÇA ME SUFFIT.

D'ACCORD. COMPRIS.

JE...

BORDEL ! C'EST *DÉBILE* !

ON VA NETTOYER CET ENDROIT POUR HABITER *DEDANS* ?! ON VA HABITER *DANS UNE GRANGE* TOUTE NOTRE VIE ?!

HERSHEL EST UN TYPE RAISONNABLE. JE SAIS QU'IL VIENT DE PERDRE DEUX DE SES ENFANTS... MAIS S'IL Y A DE LA *PLACE* DANS LA MAISON, JE NE VOIS PAS *POURQUOI* ON NE S'Y INSTAL- LERAIT PAS.

IL NOUS LAISSE PARTAGER LA CHAMBRE DE CARL, AVEC LORI. TOI ET LES JUMEAUX, VOUS POURRIEZ DORMIR LÀ, AVEC NOUS... SI ON POUVAIT SE PARTAGER UNE CHAMBRE DE PLUS, ÇA SERAIT *MIEUX* QUE DORMIR DANS UNE *GRANGE*.

JE VAIS VOIR HERSHEL.

HERSHEL ?

VOUS AVEZ UNE *MINUTE* ?

SI CE QUE VOUS AVEZ À DIRE PEUT TOMBER DANS L'OREILLE D'UN CHEVAL, JE SUIS TOUT OUÏE.

HERSHEL. JE SAIS QUE CE N'EST PAS LE *MEILLEUR* MOMENT POUR EN PARLER, MAIS... AVEC CE QUI S'EST PASSÉ HIER, TOUT ÇA, JE ME DEMANDAIS...

ALLEN ET MOI, ON NETTOIE LA GRANGE POUR POUVOIR *DORMIR DEDANS* ET JE ME DIS... À QUOI BON ? ON NE VA PAS DORMIR *ÉTERNELLEMENT* DANS LA GRANGE. S'IL Y A DE LA PLACE DANS LA MAISON, ON POURRAIT...

NON. CERTAINEMENT PAS. VOUS ÊTES LES BIENVENUS ICI PENDANT LA *CONVALESCENCE* DU PETIT. QUAND IL IRA MIEUX, VOUS *PARTIREZ*. VOUS N'EM- MÉNAGEREZ PAS ICI. VOUS NE PRENDREZ *PAS* LA CHAMBRE DE MON FILS.

NON.

QUOI ?

C'EST *NON*.

MAIN- TENANT, *LAISSEZ- MOI*.

ATTENTION !

J'AI EU MA PART DE CÔTES CASSÉES... ELLES SONT *SUPER* FRAGILES.

HEIN ?

MOI, J'ABÎMERAIS UN GRAND GARÇON *COMME TOI* ?

QU'EST-CE QUE JE PEUX DIRE ? MA ROBUSTESSE, C'EST *DE L'ES-BROUFE*...

BON... VAS-Y, LÀ, DOUCEMENT.

C'EST MIEUX ?

OUAIS...

JE SUIS *BIEN CONTENT* DE T'AVOIR TROUVÉE, CAROL. LA VIE EST BELLE.

OUAIS... *VITE*, JE TOUCHE DU BOIS !

OH, ALLONS ...

JE SUIS *SÉRIEUSE*. ON NE SAIT *PAS* DE QUOI DEMAIN SERA FAIT.

LORI... NON !

HÉ !

VOUS NOUS *FOUTEZ À LA PORTE* ?! *POUR-QUOI* ? QU'EST-CE QU'ON A FAIT, *MERDE* ?

COMMENT POUVEZ-VOUS NOUS *HÉBERGER* PENDANT *DES SEMAINES* ET NOUS *VIRER COMME ÇA* ?

JE NE VOUS AI *JAMAIS* INVITÉS À VOUS *INSTALLER* ICI. JE VOUS *TOLÈRE* LE TEMPS QUE VOTRE FILS SE RÉTABLISSE. SUR LE LONG TERME, JE N'AI *PAS ASSEZ* DE NOURRITURE POUR TOUT LE MONDE. JE DOIS *SONGER À* MA *FAMILLE*.

EN GARDANT UNE GRANGE *PLEINE DE ZOMBIES* JUSTE À CÔTÉ ?! OU VOUS VOULEZ DIRE QUE VOUS ALLEZ SONGER À VOTRE FAMILLE *À PARTIR DE* MAINTENANT ?

SI ON N'AVAIT PAS *ÉTÉ LÀ*... SANS NOS *ARMES*... VOUS SERIEZ *TOUS MORTS* À L'HEURE ACTUELLE ! MAIS VOUS VOULEZ *QUAND MÊME NOUS* VIRER ?

QU'EST-CE QUE VOUS *ATTENDEZ* DE MOI ? J'AI *SAUVÉ LA VIE* DE VOTRE *FILS* ET J'AI *PERDU DEUX DES* MIENS. ÇA NE VOUS *SUFFIT PAS* ?

ON *N'A PAS* TUÉ VOS ENFANTS... S'IL Y A UN *RESPONSABLE* POUR ÇA, C'EST *VOUS* ET VOTRE *STUPIDITÉ* !

VOUS AURIEZ *MIEUX FAIT* DE VOUS *TAIRE* !

P'PA, NON !

ÇA SUFFIT !

NE ME TOUCHEZ PAS, BOR- DEL !

VOUS ALLIEZ ME *FRAPPER* ?! C'EST QUOI, VOTRE *PUTAIN DE PRO- BLÈME* ?

J'AI *PERDU TROIS ENFANTS*, HIER, *PAUVRE CONNE* ! TROIS ! CE MATIN, J'AI TROUVÉ L'UN D'ENTRE VOUS *EN TRAIN DE BAISER MA FILLE*... ENSUITE, VOTRE MARI EST VENU ME *DEMANDER LA CHAMBRE DE MES GOSSES* ! ET LÀ, VOUS ME FAITES *CHIER* PARCE QUE JE NE VEUX PAS QUE VOTRE BANDE DE PIQUE- ASSIETTES *AVALE MES RÉSER- VES* ET OCCUPE MA MAISON ?!

VOUS ALLEZ VOUS *ARRÊTER OÙ* ? *PUTAIN, C'EST CHEZ MOI, ICI* ! J'AI UNE *FAMILLE* DONT JE DOIS M'OCCUPER. JE NE VOUS DOIS *RIEN* !

JE NE VOUS DOIS RIEN.

ON N'A JAMAIS DIT ÇA, HERSHEL.

ON CROYAIT QU'ON POUR-RAIT *RESTER ICI.* VOUS N'AVEZ *JAMAIS* PRÉCISÉ QUE C'ÉTAIT *TEMPO-RAIRE,* MERDE !

AVEZ-VOUS *SEULEMENT* IDÉE DE COMMENT C'EST, LÀ, DEHORS ? DE *CHASSER* POUR SE NOURRIR ? DE *S'EMPILER* DANS CE PUTAIN DE CAMPING CAR ? DE SE FAIRE *TOUT LE TEMPS* ATTAQUER PAR CES MONSTRES ?

RIEN À FOUTRE.

JE DOIS *VEILLER* SUR MES *GOSSES.*

ET LES *NÔTRES,* DE GOSSES ?

VOUS AVEZ UNE *CLÔTURE...* UNE *MAISON...* VOUS ÊTES EN *SÉCURITÉ,* ICI. ON POURRAIT VOUS AIDER À CULTIVER *DAVANTAGE,* CET ÉTÉ. ON POURRAIT ARRANGER *ÇA !*

ON POURRAIT *VIVRE* ICI. VOUS NE POUVEZ PAS NOUS JETER DEHORS. ON RISQUE DE *MOURIR* ! VOUS NOUS *CONDAMNEZ À MORT* !

VOUS NE *POUVEZ PAS* !

OH, *LORI...*

ÇA VA ALLER.

VOUS ALLEZ DÉGAGER.

TOUT DE SUITE.

HERSHEL... PUTAIN DE MERDE ?!

JE VEUX QU'ILS PARTENT, OTIS. TOUT EST PARTI EN COUILLE QUAND ILS SONT ARRIVÉS.

ON S'EN SORTAIT BIEN QUAND ILS N'ÉTAIENT PAS LÀ.

ILS ONT TOUT FOUTU EN L'AIR.

BON. ON VA PARTIR.

ON S'EN VA.

HERSHEL ? TU ES LÀ ? JE VEUX TE PARLER.

JE NE SAIS *PAS* CE QUI T'EST *PASSÉ PAR LA TÊTE*, MEC... TU AURAIS PU *BUTER* CE TYPE.

TU M'EN-TENDS ?

ÉCOUTE, JE *COMPRENDS* QUE TU VEUILLES QU'ILS S'EN AILLENT... MAIS ÇA N'EST *PAS* UNE FAÇON DE TRAITER LES GENS. TU *DOIS* T'EXCUSER AUPRÈS DE RICK AVANT SON DÉPART.

TU DOIS...

TU ES LÀ ?

HERSHEL ?

HERSHEL ?

JE L'AURAIS *TUÉ*, OTIS. J'ÉTAIS À DEUX DOIGTS DE PRESSER LA DÉTENTE S'IL AVAIT RÉSISTÉ. JE VOULAIS *TELLEMENT* QU'ILS PARTENT.

J'AI *FAILLI* LE FAIRE. J'AI FAILLI *TUER UN HOMME*.

JE CROIS QUE JE DEVIENS *FOU*.

TU AS DIT *AU REVOIR* À LA FILLE ?

NON.

NON ? POUR-QUOI ?

JE NE VIENS *PAS.* JE SUIS *AMOUREUX,* RICK... OU CE QU S'EN RAPPROCH LE PLUS. JE NE SAIS PAS SI JE TROUVERAI JAMAIS UNE AUTRE NANA COMME *MAGGIE* ELLE EN A PARL À SON PÈRE... IL A DIT "D'ACCORD".

JE NE *VIENS PAS.*

OH, *GLENN...* JE... EUH...

JE CROIS QU'UNE DES RAISONS QUI FAISAIENT QUE ÇA NE ME GÊNAIT PAS D'ALLER À ATLANTA FAIRE LES COURSES, C'ÉTAIT QUE JE ME *MOQUAIS* DE *VIVRE* OU DE *MOURIR.* J'AVAIS PEUR... MAIS JE M'EN FOUTAIS. JE CROIS QUE JE VOULAIS PEUT-ÊTRE *MÊME* Y RESTER. POUR *EN FINIR...*

JE NE RESSENS PLUS ÇA, MAINTENANT, GRÂCE À MAGGIE.

JE *DOIS RESTER,* RICK. JE NE VEUX *PLUS* RESSENTIR ÇA. JE NE VEUX PLUS ÊTRE *SEUL.*

NON, GLENN. JE COMPRENDS TOUT À FAIT. JE *VEUX* QUE TU SOIS HEUREUX.

JE *SUIS* HEU-REUX. JE NE PENSAIS PAS QUE C'ÉTAIT *POSSIBLE.*

TU *ENTRES* POUR DIRE AU REVOIR À TOUT LE MONDE ?

NON. ALLEZ-Y. JE SUIS N[U] POUR LES ADIEUX.

JE PEUX EN *REPRENDRE*, MAMAN ?

JE SUIS *DÉSOLÉE*, MA CHÉRIE. C'EST TOUT CE QU'ON A. IL N'EN RESTE *PLUS*.

MAIS J'AI *ENCORE* FAIM.

RIEN ?

RIEN DE **MAN-GEABLE.**

DINER

ON N'A *PLUS D'ESSENCE.* ÇA FAIT UN MOMENT QU'ON N'A PAS VU DE VOITURE ABANDONNÉE. ON VA TOUS SE DISPERSER ET *CHERCHER DES VOITURES.* PARTOUT. SI VOUS VOYEZ *DES MAISONS,* PRÉVENEZ-NOUS. IL DOIT BIEN AVOIR QUELQUE CHOSE OÙ DORMIR POUR NOUS CHANGER DU CAMPING CAR.

GARDEZ L'ARME *AU POING.* SI VOUS VOYEZ DES ZOMBIES, NE VOUS LAISSEZ PAS *ENCERCLER.* ON EST *PLUS MALINS* ET *PLUS RAPIDES.* NE PERDEZ *PAS* VOTRE SANG-FROID. *COUREZ* S'IL LE FAUT.

SI VOUS TROUVEZ DE LA *NOURRITURE...* RAMENEZ-LA POUR QU'ON *PARTAGE.* PENSEZ AUX *ENFANTS.*

SI VOUS TROUVEZ *QUOI QUE CE SOIT :* NOURRITURE, ESSENCE, EAU, ABRI... REVENEZ ICI ET *KLAXONNEZ.* ALLEN SERA LÀ AVEC LES ENFANTS.

SI VOUS NE TROUVEZ RIEN, SOYEZ RENTRÉS *AVANT LA TOMBÉE DE LA NUIT.*

ON N'A QUE QUELQUES HEURES.

ENFIN SEULS.

NE TE FAIS PAS D'ILLUSIONS. J'AI *TROP* FAIM. ON NE FERA *RIEN* TANT QU'ON N'AURA PAS TROUVÉ À MANGER.

SI C'ÉTAIT POSSIBLE... JE CROQUE-RAIS UNE BOUCHÉE *DE TON CORPS.*

PETITE COQUIINE.

VOUS, LES JEUNES, JE NE COM-PRENDS *RIEN* À VOTRE HUMOUR.

HMH.

ENCORE UN JOUR SANS MANGER ET *PLUS PERSONNE* N'AURA ENVIE DE RIGOLER.

132

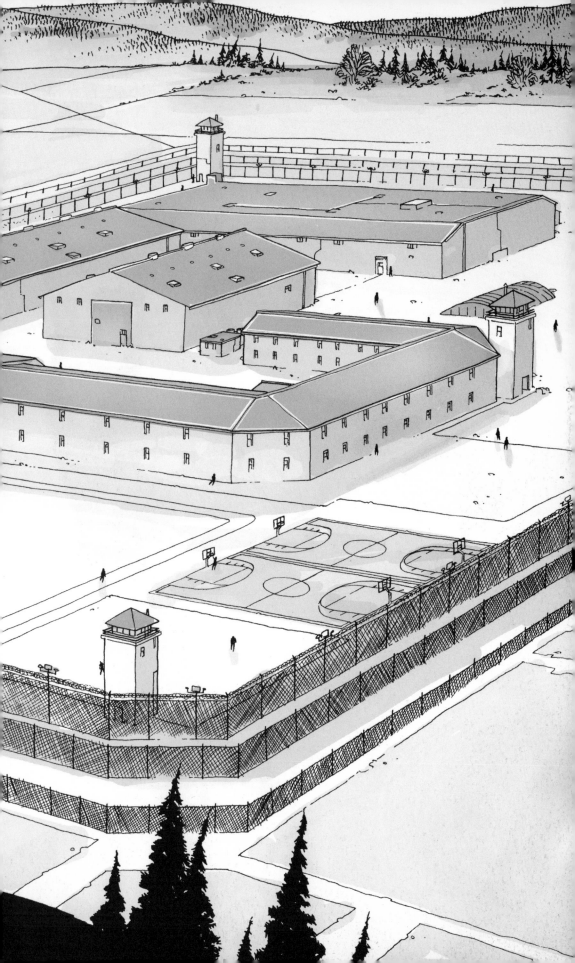

CARNET DE CROQUIS
CHARLIE ADLARD

Nous tenons à remercier particulièrement Charlie Adlard,
qui a eu la gentillesse d'ouvrir son carnet de croquis
exclusivement pour l'édition française de *Walking Dead*.
Chose rare et d'autant plus appréciable car Charlie réalise
finalement assez peu de dessins préparatoires, préférant la
plupart du temps aller directement à l'essentiel, c'est-à-dire
au dessin de la page.

ALLEN

DONNA

THE TWINS

ANDREA

DALE

CAROL

SOPHIA

GLENN

 # POST

Je n'essaie pas de faire peur à qui que ce soit. Si cela arrive à l'issue de la lecture de ce comics, tant mieux, mais franchement… ce n'est pas du tout le sujet de ce livre. Ce que vous tenez entre les mains est sans doute le travail le plus abouti jusqu'ici de ma carrière. Je suis le créateur de *Battle Pope*[1] ; vous voyez un peu le grand écart que cela représente ? Remarquez, ce n'est pas si dur à croire quand on sait à quel point je m'investis dans des problématiques aussi « sérieuses et dramatiques ». Hum…

Les zombies.

Pour moi, les meilleurs films de zombies ne sont pas les plus gores et les plus violents, ou ceux joués par des personnages abrutis et caricaturaux. Les bons films de zombies nous révèlent à quel point nous pouvons être déséquilibrés… ainsi que la situation de détresse dans laquelle se trouve notre société aujourd'hui. Bien sûr, ils amènent également leur dose de gore, de violence et de pas mal d'autres choses fun… Mais il y a toujours en arrière-plan cette critique sociale.

C'est pourquoi je préfère, et de loin, *Zombie* (" *Dawn of the Dead* " de Romero) au *Retour des morts-vivants* (" *Return of the Living Dead* " de Dan O'Bannon). Les films de zombies sont pour moi des œuvres provocantes, des fictions dramatiques, bien à part des productions « oscarisées » qui s'entassent année après année. Les films qui nous questionnent sur les origines mêmes de notre société sont mes préférés. Et dans les BONS films de zombies, ce sont ces thématiques qu'on vous sert par wagons entiers.

Avec *Walking Dead*, j'ai voulu explorer comment des individus réagissent lorsqu'on les met face à des situations extrêmes et quel impact peuvent avoir les événements sur leur comportement. Chers lecteurs, tout au long de la série *Walking Dead*, vous allez découvrir comment Rick va s'affirmer et évoluer, au point que vous ne le reconnaîtrez pas. Attendez-vous à quelque chose de long et d'épique parce que c'est justement l'idée de cette série.

Tout dans cette série est une tentative de montrer la progression naturelle des événements tels qu'ils pourraient survenir dans de telles circonstances. Les personnages sont le véritable moteur du récit. La manière dont ils en sont arrivés là devient dès lors plus importante que le simple fait qu'ils y soient arrivés. Je voudrais vraiment vous montrer comment vos amis, vos voisins, votre famille et vous-mêmes pourriez réagir dans de telles situations.

Donc, si en cours de lecture quelque chose vous a effrayé… tant mieux, mais il ne s'agit pas d'un comics d'horreur. Et en disant cela, je ne veux pas dire que je me situe au-dessus du genre. Loin de là. Nous avons juste choisi une autre voie. Ce livre traite plus de la façon dont Rick va apprendre à survivre que de la meilleure manière de vous effrayer avec des zombies surgissant à chaque page. J'espère que vous saisissez bien l'esprit.

FACE

Tout commentaire sur l'histoire mis à part, et même si vous détestez les zombies, vous devez admettre que c'est plutôt bien réalisé. J'ai aimé collaborer avec Tony Moore, le premier dessinateur de la série. Je l'ai VU dessiner, je sais COMMENT il travaille, je le connais mieux que quiconque et je dois dire, au cas où vous ne l'auriez pas remarqué, que Tony a atteint des sommets. Je peux aussi vous dire à quel point Tony partage mon amour pour le genre zombie. Ce premier tome est un bel objet. Je ne pouvais pas en être plus satisfait. J'espère que vous partagez mon sentiment.

Pour moi, le moment le plus pénible dans un film de zombies, c'est la fin. Je veux toujours savoir ce qu'il se passe ensuite. Même lorsque tous les personnages sont morts… Je veux que ça continue, tout simplement…

Le plus souvent, les films de zombies nous montrent une toute petite tranche de la vie d'un personnage jusqu'à ce que son réalisateur commence à tourner en rond. On apprend à connaître les personnages, ils partagent une aventure commune et BOOM, alors que cela devenait intéressant, ce foutu générique de fin commence à défiler.

L'idée directrice de *Walking Dead* est de rester proche des personnages et en particulier de Rick Grimes, aussi longtemps que cela sera humainement possible. Je vois *Walking Dead* comme la chronique de l'existence de Rick. On ne se demandera JAMAIS ce qu'il est arrivé ensuite à Rick, on y assistera. *Walking Dead* sera un film de zombies qui ne connaîtra pas de fin.

Enfin… Pas avant un bon moment du moins.

Robert Kirkman

1 *Battle Pope* est une série humoristique ayant pour héros un pape anarchiste qui entretient un rapport assez particulier avec la religion et son Patron.